Alzheimer.
Envejecimiento y demencia

NOLASC ACARÍN
ANA MALAGELADA

ALZHEIMER.
ENVEJECIMIENTO
Y DEMENCIA

Prólogo de
VLADIMIR HACHINSKI

RBA

© Nolasc Acarín y Ana Malagelada, 2017.
© de esta edición: RBA Libros, S. A., 2017.
Avda. Diagonal, 189 - 08018 Barcelona.
rbalibros.com

Primera edición: mayo de 2017.
Segunda edición: julio de 2017.

REF.: RPRA350
ISBN: 978-84-9056-786-9
DEPÓSITO LEGAL: B-7828-2017

Impreso en España · *Printed in Spain*

ANGLOFORT, S. A. · PREIMPRESIÓN

Dedicamos el libro a los enfermos de Alzheimer y a los familiares que los cuidan que, a menudo, anteponen el bienestar de sus seres queridos al suyo propio.

CONTENIDO

7

PRÓLOGO

No hay visión más
devastadora que la de una
mente humana destrozada.

ANÓNIMO

Para la mayor parte de las personas sería preferible morir antes que sufrir un deterioro lento y progresivo de su mente. A medida que envejecemos, nuestra memoria empieza a declinar y nos asusta la posibilidad de padecer la enfermedad de Alzheimer. Este temor no se limita sólo a la persona que la padece, sino que también se hace extensivo a su pareja y a los familiares, que ven ante sí la posibilidad de la lenta pérdida de un ser querido, además del elevado coste emocional y material que supone el cuidado de una persona con demencia.

Afortunadamente, este terrible escenario no es inevitable y tan solo constituye el peor desenlace posible del envejecimiento cerebral. Los autores del presente libro están altamente cualificados para poner este difícil escenario en perspectiva. Ambos comparten el bagaje de la experiencia de décadas en el diagnóstico, tratamiento y prevención de la demencia, y nos brindan sus conocimientos acerca de los diferentes aspectos de la enfermedad. Nolasc Acarín es el autor del best seller *El cerebro del rey* y Ana Malagelada aporta su experiencia en el campo cada vez más prometedor de la microbiota y su relación con la nutrición.

Estos atributos los capacitan para ofrecer una visión única y global del problema. Los autores destacan que la demencia no es una consecuencia inevitable del envejecimiento, que la alteración de la memoria no necesariamente significa el inicio de una demencia y que, con la edad, perdemos algunas funciones cognitivas pero mantenemos, e incluso mejoramos, otras.

La exposición de los síntomas y las historias clínicas de algunos pacientes destacan tanto en el aspecto literario como en su descripción de las connotaciones psicológicas. La exposición de los mecanismos de la enfermedad demuestra importantes conocimientos sobre la neurociencia y las enfermedades del cerebro, que se explican con claridad y dominio del tema. El texto está bien ilustrado y aporta información científica que merece ser leída por méritos propios.

El análisis del tema es exhaustivo y riguroso, y también contempla los aspectos legales de la demencia y nos asesora acerca de cómo manejarlos. La forma en que está organizado el libro permite una lectura selectiva por parte de aquellos lectores que muestren un interés por temas concretos.

Aunque el público principal, al que está dirigido el libro, lo constituyen los pacientes, los potenciales pacientes y los cuidadores, esta obra también puede ser de gran ayuda para los médicos que no posean un conocimiento tan profundo ni tanta experiencia en el tema como los de sus autores. Enfermeras, fisioterapeutas, farmacéuticos e incluso políticos responsables de la sanidad pública necesitan conocer la naturaleza y el proceso de la demencia, así como el coste de la atención compasiva que requieren algunos pacientes, y han de poder involucrar a las personas, familias, comunidades y gobiernos, a fin de mejorar el diagnóstico, el tratamiento y la prevención de la demencia.

Espero que el libro obtenga el amplio público lector que merece.

VLADIMIR HACHINSKI, *febrero de 2017*
CM, O Ont, MD, FRCP, DSC, FRSC,
doctor honoris causa (Salamanca)
Profesor universitario distinguido
Universidad de Western Ontario, London, Canadá
Presidente de la Federación Mundial de
Neurología (2010-2013)

INTRODUCCIÓN

Las demencias, especialmente la enfermedad de Alzheimer, que es la causa más frecuente de las mismas, constituyen uno de los grandes retos de la civilización, por ser el problema de salud más extendido, por cercenar la personalidad de los pacientes y por poner a prueba la resistencia emocional de sus familias. También por la magnitud económica que representa su coste, que va camino de ser el mayor dispendio en los sistemas sanitarios de los países desarrollados.

Creemos que la función asistencial del médico incluye establecer un diagnóstico y el pronóstico de la enfermedad, indicando un tratamiento curativo o por lo menos paliativo, así como también informar sobre la evolución de la misma y aconsejar acerca de las medidas de prevención. El médico tiene que acompañar al paciente sin invadir su intimidad, aceptando su voluntad a fin de que sea él mismo quien pueda escoger con libertad las condiciones en las que desea vivir y morir, y respetando su decisión tanto si desea saber mucho como si prefiere saber poco sobre su estado de salud.

La atención al paciente con demencia implica reconocer que la persona enferma tiene derecho a conocer la verdad sobre su diagnóstico y su pronóstico, del mismo modo que le asiste el derecho a un trato digno, confidencial y compasivo. Estas consideraciones son la base del oficio de médico.

Este pequeño libro es fruto de la experiencia acumulada por dos neurólogos a lo largo de muchos años, durante los cuales se han dedicado a explicar a los enfermos y a sus familiares lo que ocurre y lo que puede ocurrir. Durante este tiempo hemos tenido la oportunidad de atender en la consulta a cientos de pacientes con demencia, lo que nos permite tener una visión amplia de lo que le sucede al enfermo y, también, de las dificultades y sufrimientos que padecen los familiares y los cuidadores. El libro pretende poner al alcance de cualquier persona interesada la información referente al envejecimiento cerebral y su transición a la demencia, además de los conceptos y síntomas de las demencias, y los más recientes avances en el conocimiento sobre sus causas y las perspectivas de tratamiento.

Nuestro propósito es que su lectura resulte útil a todas aquellas personas que se hallan inmersas en la difícil experiencia de convivir con el Alzheimer, brindándoles la oportunidad de comprender mejor la enfermedad y de este modo hacer más fácil la vida a los pacientes y a sus cuidadores.

Además de para los familiares, pensamos que este libro puede tener interés para otros profesionales como los médicos de familia y los médicos internistas, así como para el personal de enfermería y los profesionales de farmacia. Dispondrán de un pequeño breviario que aúna los conocimientos actuales sobre las demencias y la información más relevante para los cuidadores y familiares. No hay que olvidar que los médicos de familia y los equipos de enfermería constituyen la base sobre la que se asienta todo el sistema de atención sanitaria. Su acción, cercana al paciente y a las familias, es la garantía de la calidad asistencial, así como de la continuidad en la relación entre el paciente y los demás médicos.

Por regla general utilizamos la expresión «enfermo» o «paciente», ya que en gramática castellana el genérico trasciende al sexo y, por tanto, se refiere tanto a varones como a mujeres. Es importante aclarar también que el término «demencia» guarda relación con el deterioro cognitivo (o mental) progresivo que se presenta en la edad adulta, por lo que no debe confundirse con «locura», que en su acepción popular se refiere a los trastornos de la personalidad que, en general, se inician en la juventud.

En el año 1910 se puso nombre a la demencia más frecuente en la especie humana, después de que el neurólogo alemán Alois Alzheimer publicase, en 1906, la primera descripción clínica y patológica de la enfermedad. Su trabajo fue ampliado poco después por Nicolás Achúcarro, un médico bilbaíno radicado en Washington.

Desde entonces se han producido grandes avances en el conocimiento de los cambios neurobiológicos que originan las demencias. Hoy sabemos que en la enfermedad de Alzheimer intervienen alteraciones genéticas, y hemos identificado algunas proteínas anormales que se depositan en el cerebro, de forma parecida a lo que sucede en otras enfermedades neurodegenerativas como la enfermedad de Parkinson. La investigación nos ha aportado además modernas técnicas de neuroimagen y marcadores biológicos obtenidos del líquido cefalorraquídeo del paciente, que nos ayudan a diagnosticar y diferenciar los distintos tipos de demencia.

Sin embargo, a pesar de estos progresos, todavía no contamos con ninguna exploración que nos confiera la certeza diagnóstica absoluta en vida del paciente, ni tampoco podemos ofrecer un pronóstico seguro hasta que la evolución del paciente nos lo permita. El diagnóstico de certeza solo se obtiene a partir del estudio patológico del cerebro en el laboratorio, que se realiza tras el fallecimiento.

Las demencias constituyen uno de los grandes problemas de salud en los países en los que la población tiene una elevada esperanza de vida, ya que son las enfermedades que producen más años de incapacitación en los individuos. En el último siglo, en Europa hemos duplicado la esperanza de vida, y en nuestro país hemos llegado a una esperanza de ochenta y cuatro años para las mujeres y de algunos menos para los hombres. El envejecimiento de la población es una causa evidente de que las enfermedades «demenciantes» sean cada vez más frecuentes, por la simple razón de que hay muchos más ancianos.

En España se prevé que en 2030 casi una cuarta parte de la población supere los sesenta y cinco años. Hoy la demencia afecta ya a un 6,3 % de la población mayor de sesenta años y somos el cuarto país con mayor prevalencia (cantidad de nuevos enfermos por año) del mundo. En edades más avanzadas, la prevalencia crece enormemente. Así, en Europa, la demencia afecta a un 14 % de los hombres y un 16 % de las mujeres de entre ochenta y ochenta y cuatro años. Actualmente, en la Unión Europea hay siete millones de personas afectadas por la demencia, de las que cerca de ochocientas mil viven en España.

Además del impacto social, no hay que olvidar la trascendencia económica del problema. Hoy, en España, se cifra en más de treinta mil euros anuales el coste de las atenciones domésticas, sociales y médicas que precisa una persona con demencia. Aparece, pues, un nuevo gran sector económico. Si se multiplica el número de enfermos que estarán muchos años discapacitados por el coste económico por enfermo, la cifra alcanza los veinticuatro mil millones de euros anuales, en España, una cantidad muy importante que incluye desde los equipamientos a los recursos humanos y tecnológicos, así como los programas y medicamentos necesarios para atender a los pacientes.

Los retos de futuro se centran en la investigación de las causas de estas enfermedades y, en consecuencia, en el descubrimiento de tratamientos eficaces. Pero, al mismo tiempo, además de aumentar los recursos sociales y económicos, debemos aprender a mejorar la calidad de vida de las personas que sufren enfermedades neurodegenerativas, de sus familiares y de los cuidadores, proporcionándoles las mejores respuestas emocionales y sociales posibles. Hay que impulsar la cultura de apoyo a las personas que están al cargo de estos enfermos.

La vida es una historia que siempre acaba mal y, en ocasiones, peor. En algunos casos, el fin de la vida es repentino, sin sufrimiento para el enfermo. Muchos consideran que es la mejor forma de morir. Otras veces la muerte llega tras un largo proceso de dolor y agonía. En el caso de la demencia, la muerte se produce después de la despersonalización del enfermo debido a la pérdida de sus capacidades mentales, de tal forma que los enfermos en etapas avanzadas no suelen sufrir desde el punto de vista psicológico y, si reciben los cuidados adecuados, tampoco físicamente. La situación es más cruel para los familiares que los han querido, los han cuidado y acompañado durante muchos años, y que se convierten en testigos de la progresiva decrepitud del paciente. La demencia se come el pensamiento del enfermo y, al mismo tiempo, agrede los sentimientos de quienes le quieren.

Alguien podrá pensar que este es un libro triste; es posible que lo sea. Pero hay que tener presente que, al ofrecer información clara y explícita sobre estas dolencias, se ayuda a enfermos y a familiares a adquirir un marco de conocimiento que les permitirá gestionar mejor el desconcierto inicial y, más tarde, el dolor emocional. Con información es menos difícil tomar decisiones más libres y acertadas. El conocimiento siempre es fuente de libertad.

Los lectores no expertos pueden saltarse sin ningún problema los párrafos con tecnicismos biológicos, genéticos o moleculares, pues hacerlo no alterará en absoluto la comprensión y el aprovechamiento del conjunto del libro. El contenido de esta obra incluye los más recientes hallazgos en neurobiología, en especial sobre la enfermedad de Alzheimer, así como las más recientes técnicas de diagnóstico. Contiene numerosas figuras y esquemas para que el texto resulte didáctico.

Uno de los autores, Nolasc Acarín, publicó en 2010 *Alzheimer. Manual de instrucciones.* En el presente libro nos ha parecido oportuno recuperar el primer y el último capítulos de aquel texto, a pesar de que el actual es un libro distinto y más amplio.

Deseamos que este libro sea de ayuda para los que viven de cerca la demencia.

NOLASC ACARÍN Y ANA MALAGELADA
Barcelona, febrero de 2017

LA HISTORIA DE LOS SÍNTOMAS

ME HAN QUITADO LOS ÁRBOLES

Varón, setenta y cuatro años, jefe de oficina bancaria jubilado, tres hijos. Sin enfermedades previas destacables.

Cada día sale de casa a las diez de la mañana para dar una vuelta y comprar el pan. Un día, regresa más tarde que de costumbre. Lo hace justo antes del almuerzo, en compañía de un policía municipal. Dice que le han quitado los árboles. Lo repite varias veces, apesadumbrado. El policía explica que lo han encontrado perdido, lejos de casa, y que lo han identificado por los documentos que llevaba encima. El hombre se sienta en una silla del comedor y se queda absorto, con la mirada perdida. Está preocupado y no responde cuando su esposa le pregunta si quiere una infusión.

Poco a poco, logran reconstruir la historia de esa mañana: al salir de casa tiene la costumbre de tomar la calle de la derecha; hoy, en cambio, ha torcido hacia la izquierda. La de la derecha es ancha, con árboles, mientras que la otra es estrecha y sin árboles. Ha caminado durante dos horas sin saber dónde estaba, hasta que, finalmente, se ha sentado en un banco de una placita. Unos niños que jugaban con una pelota le han alcanzado con la misma accidentalmente. Él ha cogido la pelota y no la ha querido devolver, y los niños han acabado por llamar a un policía. Lo han subido al coche patrulla y lo han traído a casa.

CELOS

Mujer, sesenta y dos años, ama de casa, dos hijos, tensión arterial alta desde la menopausia.

No tolera que su marido salga solo de casa, pero a ella no le gusta hacer la compra, así que le envía a él. Afirma que se quiere ligar a todas las mujeres que encuentra y que tiene un lío con una del mercado. La mujer dejó de ir de compras con la llegada del euro: no entiende cuál es su valor. El marido, de setenta años, calla. Está triste porque no entiende qué le pasa a su mujer. La hija los visita dos veces por semana para arreglar la ropa que la madre lava y plancha sin mucha destreza, y que no sabe dónde guardar. Quiere proporcionarles una chica que se encargue de limpiar la casa y preparar la comida, pero la madre dice que estas muchachas extranjeras le roban los pañuelos y que, además, se liarían con su marido. En la consulta insiste en que es su marido el que está mal; ella afirma encontrarse perfectamente.

SOSPECHAS

Varón, sesenta y ocho años, presidente de una industria metalúrgica, tres hijas, vive con su esposa.

Acude a la consulta en compañía de una hija y de su esposa. Esta última explica que, desde hace un año, se queja de que un sobrino le quiere robar el dinero, por lo que él lo cierra todo bajo llave y antes de irse a dormir esconde la cartera y las llaves bajo el colchón. Él lo reconoce y añade que, alguna vez, ha sorprendido al sobrino en casa con actitud sospechosa. La hija aclara que el sobrino es el director de la fábrica, que acude a casa del paciente los viernes para informarle del estado de las cuentas, que es una persona de plena confianza de la familia y que, hasta hace un año, era el familiar a quien él más apreciaba. A raíz de este conflicto, el consejo de administración ha retirado las funciones ejecutivas al paciente. Se ha convertido en una persona muy rígida y poco tolerante. Su actitud es seria, con cara poco expresiva y lentitud en los movimientos. Se acuesta hacia las dos de la madrugada y se toma un somnífero potente que compra a espaldas de la familia. No acepta que sufra un trastorno. Considera la consulta un examen o reto, en el que debe sacar buena nota.

ARROZ CON ACEITE

Mujer, sesenta y tres años, empleada de mercería jubilada a los cincuenta y ocho años, viuda, sin hijos.

Vivía con su madre hasta que esta murió. Sin antecedentes de enfermedad alguna, tiene una hermana en tratamiento psiquiátrico desde joven por un trastorno de personalidad. La prejubilaron porque durante los últimos tres años no ordenaba bien la mercancía y porque se confundía a la hora de cobrar a los clientes. Le dieron la baja por depresión hasta que se pudo tramitar la jubilación. Acude a la consulta con una sobrina. Tiene la casa llena de objetos inútiles que recoge por la calle. Guarda en la despensa montones de paquetes de azúcar, harina y pasta. Se olvida de la higiene, va despeinada. Siempre come arroz hervido con aceite. Me explica que el aceite de oliva es muy bueno para la salud. Cuando la sobrina la visita, se sienta cerca de la mesa de la cocina y la observa sin decir palabra. Otras veces le enseña el álbum de fotos de cuando era jovencita, junto a sus padres y hermanos, pero ya no los puede identificar. Pregunta a la sobrina si ella también aparece en las fotografías y parece no entender que la sobrina es hija de un hermano mayor ya fallecido. «¿De qué hermano?», pregunta, mientras señala a un muchacho que aparece en el álbum.

REUNIONES

Varón, setenta y seis años, ingeniero y director jubilado de una multinacional francesa en España, un hijo.

Operado de cáncer de próstata con buen pronóstico. Practica deporte con regularidad. Viene a la consulta con su esposa. Hará unos ocho años, todavía en activo, comenzó a tener problemas para entender las cosas. Ahora habla poco, con frases cortas, que repite, del tipo «unos y otros tenemos que reunirnos», «hay que hacer reuniones». Su lenguaje se limita a expresiones convencionales, pero en cambio es capaz de leer en voz alta en castellano, catalán y francés, con buena pronunciación, aunque no comprende nada de lo que lee. No entiende órdenes verbales ni escritas («levante la mano derecha», «cierre los ojos»). A veces, cuando se le pregunta cómo está, contesta «estoy fuera...», con indiferencia, sin comprender el significado de lo que dice. Se levanta y camina por la consulta, con los pies separados. Junta los labios y resopla un buen rato. Su esposa lo vuelve a conducir al asiento. Se lava y se afeita él solo cuando su mujer se lo indica. Come sin ayuda, pero no sabe manejar los cubiertos. Se pierde dentro de casa. Parece que reconoce a la esposa y al hijo, pero no pronuncia sus nombres. Se acerca a ella y le da besitos en los labios. Casi siempre controla los esfínteres, aunque de noche le ponen pañales.

SENTIR MIEDO

Mujer, sesenta y seis años, viuda, dos hijos, empresaria de la confección, sin antecedentes.

Desde hace un año lleva la dirección de la empresa uno de sus hijos, porque durante los dos últimos se sentía agobiada. Va periódicamente a la fábrica, pero no tiene prácticamente responsabilidades. En la consulta se muestra apática y explica que ha perdido el interés por las cosas, aunque llevaba el negocio con éxito desde los treinta y cinco años. Teme no estar ya al nivel que había alcanzado tras toda una vida de trabajo. Ahora le cuesta recordar el nombre de los artículos que producen y no entiende los extractos bancarios. Tampoco recuerda el nombre de los clientes de toda la vida que se acercan a saludarla. Sus familiares se han alarmado cuando ha comenzado a olvidar el nombre de los hijos y de los nietos. Cree que los hijos llevan bien el negocio, pero tiene miedo de que se equivoquen, de que no hagan bien las compras. También teme que la dejen en casa. Ha pensado en iniciar alguna actividad cultural, pero no hay nada que le interese. Explica que toda su vida ha consistido en sacar adelante su industria y que ahora siente que ya no sirve para nada. Rompe a llorar. No sabe qué día es, no recuerda qué ha comido, no recuerda el nombre del pueblo donde está la fábrica. Teme quedarse sola (vive sola desde que enviudó, hace muchos años) y sin dinero. Está atemorizada.

SOLA Y ABURRIDA

Mujer, setenta y un años, sin enfermedades previas de interés, tres hijas, vive con su marido.

Explica que está triste porque se considera poco útil, dice que ya no sabe hacer nada. De madrugada a veces se despierta y se viste, desordenando la ropa del armario. El marido hace las compras y prepara las comidas. No quiere salir de casa, pero dos o tres veces por semana se desplaza a la casa de una hija. Cuando lleva un rato allí, se queja de que es una inútil, una carga, y quiere irse. La familia insiste en que se siente y coma. Se pone violenta: dice que se pasa el día sola y aburrida, que nadie le hace caso. En su casa, revuelve las cosas, como por ejemplo los pañuelos, y las pierde. No se cuida, no se deja peinar. En la consulta da largas explicaciones para justificar los muchos errores que ha cometido en la vida. El marido explica que era una mujer afable y muy trabajadora. Llevaba la casa sola, cuidaba de las hijas y además dirigía una pequeña tintorería en los bajos del edificio.

LA SALA DE ESPERA

Mujer, noventa y tres años, viuda desde hace cinco, cuatro hijos.

Vive en una residencia asistida. Camina sola, con la ayuda de un bastón. Artrosis severa en caderas y rodillas. Oye poco y su visión es limitada. Es autónoma para comer, pero necesita ayuda para la higiene. No sabe qué día de la semana es, pero cada día lo mira en el periódico y marca la fecha en el calendario con una cruz. Recuerda los nombres de los familiares. No recuerda que la hayan ido a ver ni qué visitas ha tenido, aunque también lo anota en el calendario. Le gustan los almuerzos familiares. Se sienta junto a su bisnieta de dos años y se entretiene con ella, sin atender mucho a los demás. A veces hace comentarios como «estoy en la sala de espera, pero el tren no pasa». No inicia espontáneamente la conversación, el lenguaje espontáneo es limitado, pero responde bien a las preguntas, aunque de modo escueto, y hace pocos comentarios. Le gusta ver a los bisnietos y, con un poco de esfuerzo, los recuerda bien. Lee el periódico, aunque por sí misma no recuerda las noticias, pero cuando se las recuerdan sus comentarios son oportunos. Relee los mismos libros, explicando que, como le falla la memoria, los puede ir releyendo porque no los recuerda. Ríe porque le hace gracia. A veces está de mal humor y se queja a los hijos de sus deficiencias sensoriales, de la vista y del oído, pero en general se siente feliz porque dice que tiene todo lo que necesita y que, por fin, no tiene que preocuparse por nada.

PERRITO GUAPO

Mujer, treinta y cinco años, soltera, vive con su madre.

Hasta los veintiocho años hizo vida normal. Era secretaria de dirección y se ganaba bien la vida. Entonces fue intervenida por una malformación del corazón y sufrió un prolongado paro cardíaco. Estuvo varias semanas en coma anóxico (por falta de oxígeno en el cerebro) hasta que, lentamente, pasó a un estado vegetativo y fue ingresada en un centro de rehabilitación. Al cabo de seis meses se comenzó a recuperar, a moverse voluntariamente, a comer con ayuda y a realizar rehabilitación para aprender a caminar, pues tenía tetraplejia (parálisis de las cuatro extremidades). Desde entonces, solo dice «perrito guapo, perrito guapo» de forma repetitiva durante todo el día, con el habla entrecortada, a trompicones. Le regalaron un perrito. Camina por la consulta con paso inseguro y gran rigidez de las piernas, y no quiere sentarse. No entiende las órdenes. Lleva pañales para la incontinencia. Tiene la mirada perdida, no la fija al explorar. Es dependiente para la higiene, para vestirse y para comer. Para salir, debe usar silla de ruedas. Le resbala la saliva de la boca.

COMENTARIO

Estas han sido unas pocas notas clínicas de la observación de pacientes muy diversos, pero con un aspecto en común: el deterioro de sus funciones mentales, lo que los médicos denominamos deterioro cognitivo. La chica de treinta y cinco años que tiene un «perrito guapo» es un claro ejemplo de demencia por anoxia cerebral. Se produjo a causa de una intervención cardíaca, porque durante un tiempo su cerebro no recibió el aporte de oxígeno necesario, una complicación que, por fortuna, no es frecuente.

Es interesante observar la diferencia entre el penúltimo caso («La sala de espera») y los anteriores. La anciana de noventa y tres años, pese a sus grandes carencias cognitivas, no está triste y, en la medida de su capacidad de comprensión, es consciente de sus limitaciones, que ella misma atribuye a la edad. Utiliza un lenguaje poco espontáneo pero fluido. Tiene un deterioro cognitivo que se encamina hacia la demencia.

De entre los otros pacientes, algunos no tienen conciencia del deterioro que sufren, otros están preocupados por la pérdida de sus capacidades mentales —tienen miedo, están tristes—, y también los hay que ya no tienen capacidad alguna para comprender lo que ocurre en su entorno. A la pérdida de memoria se añaden otras dificultades, como las del lenguaje, la conducta y la incapacidad para planificar el futuro o para organizar las actividades más elementales de la vida diaria (higiene, vestimenta, alimentación...).

Algunas de estas notas clínicas son ejemplos del perfil de síntomas propios de la enfermedad de Alzheimer, mientras que otras lo son del perfil sintomático de demencias degenerativas distintas que se comentan en el capítulo 7.

2

ENVEJECIMIENTO CEREBRAL

El envejecimiento es el proceso de deterioro biológico que afecta progresivamente a todas las células, tejidos y órganos del cuerpo humano (del mismo modo que afecta al de los otros animales), causado a lo largo de los años por la acumulación de errores en el mantenimiento y reproducción de las células. Las células del organismo se renuevan, unas perecen y nacen otras. También en el cerebro se produce la generación de nuevas células nerviosas, la denominada neurogénesis. Esta generación tiene lugar, fundamentalmente, en dos regiones cerebrales, el nervio olfatorio y el hipocampo, donde residen células nerviosas pluripotenciales, es decir células madre neurales que tienen la capacidad de originar diferentes células cerebrales. Estas células, después, migran hacia otras localizaciones cerebrales.

La formación de nuevas células nerviosas, así como la ramificación de las prolongaciones neuronales, las dendritas y sus espinas dendríticas, permiten al cerebro regenerarse y, sobre todo, aumentar la interconexión entre sus neuronas, es decir, incrementar la red neuronal. Estos fenómenos confieren al cerebro plasticidad , es decir la capacidad de irse adaptando a los cambios de su entorno y aprender. Es lo que se conoce como neuroplasticidad.

La reproducción celular está regulada por el ADN (ácido desoxirribonucleico), una molécula ubicada en el núcleo de la célula que contiene el código que le indica cómo reproducirse. Los segmentos o genes de los que se compone dirigen la fabricación de proteínas.

Con el paso del tiempo, diversos factores como la herencia familiar (genética), las radiaciones, los hábitos, las enfermedades y múltiples factores ambientales van dañando la capacidad de reproducir copias exactas de la misma célula o de fabricar algunas proteínas. Es como hacer fotocopias de otra fotocopia de forma sucesiva y reiterada: al final se produce un deterioro progresivo de la imagen, que puede llegar a desaparecer, dejando tan solo algunas manchas como herencia del texto inicial.

La molécula de ADN está formada por dos cadenas de unas unidades denominadas nucleótidos, enroscadas sobre sí mismas en forma de doble hélice. Estas hélices, enrolladas y plegadas, constituyen el componente principal de los cromosomas. En los extremos de los cromosomas hay una parte menor, denominada telómero, que protege la estructura de los mismos. Con el tiempo se va desgastando, acortándose, lo que produce la alteración de la capacidad del ADN para producir una copia perfecta en la nueva generación de células. La consecuencia es el envejecimiento del organismo. Hay otras moléculas, las llamadas reparadoras, que intentan corregir los errores que se producen en el ADN, pero con el paso del tiempo también pierden eficacia y de forma progresiva las copias se convierten en una caricatura del primer original.

Uno de los más recientes descubrimientos acerca del envejecimiento es la participación en el mismo de las células senescentes. Se trata de un tipo de células que dejan de dividirse, probablemente por haber sufrido alteraciones genéticas que las convierten en potencialmente cancerígenas. El sistema inmunitario se ocupa de su eliminación, pero una gran parte de las mismas escapan a su acción y se acumulan en los tejidos del organismo. Se ha demostrado en estudios muy recientes, que estas células también participan activamente en el envejecimiento del organismo, no solo porque al no dividirse dejan de contribuir a la regeneración y reparación de los tejidos, sino también porque producen moléculas inflamatorias. La inflamación crónica del cerebro, la neuroinflamación, acompaña al envejecimiento cerebral y aparece característicamente en fases muy precoces de la enfermedad de Alzheimer. En un experimento reciente realizado con ratones, la eliminación de las células senescentes ha conseguido prolongar la supervivencia de los mismos hasta un 35 % y, curiosamente, ha logrado asimismo que mantengan una mayor actividad y un interés mayor por explorar su entorno, lo que demuestra que también previenen el envejecimiento cerebral y el deterioro cognitivo.

Sea como consecuencia del acúmulo de células senescentes y la neuroinflamación, o debido a otros mecanismos, la neurogénesis cerebral disminuye y se reducen las conexiones interneuronales: se produce una menor ramificación de las prolongaciones neuronales —dendritas y espinas dendríticas—, que son piezas clave, como ya hemos comentado previamente, para la plasticidad neuronal.

Por otra parte, el envejecimiento cerebral parece ir acompañado también, en una elevada proporción (entre un 20 y un 30 % de las personas afectadas, según los últimos estudios), por el depósito de una proteína anormal, la proteína beta-amiloide, característica de la enfermedad de Alzheimer y que produce deterioro neuronal (véase el capítulo 6.) En un estudio muy reciente se ha demostrado por primera vez una mejoría cognitiva en pacientes con formas leves de EA (enfermedad de Alzheimer) tras la administración de un anticuerpo que elimina la proteína beta-amiloide del cerebro. Habrá que esperar a nuevos estudios en mayor número de pacientes para confirmar la eficacia de este tratamiento.

El oxígeno, indispensable para la vida orgánica del cuerpo humano, en determinadas circunstancias puede ser dañino: es lo que sucede cuando se altera la estructura y el vínculo entre sus electrones. Así es como se forman los radicales libres de oxígeno, que producen una oxidación excesiva, la cual rompe las moléculas produciendo lo que podríamos llamar «herrumbre» de la estructura orgánica, que de esta manera se deteriora.

Los futuros posibles tratamientos del envejecimiento cerebral y las enfermedades neurodegenerativas van desde la eliminación del acúmulo de células senescentes y de proteína beta-amiloide, y la administración de tratamientos antioxidantes y antiinflamatorios, hasta el trasplante de células madre. Queda aún mucho camino por recorrer, pero hay que mantener la esperanza e insistir en la investigación para descubrir la causa primordial de estas demencias y los factores clave en el envejecimiento. (Para más información sobre el sistema nervioso, véase el libro de Nolasc Acarín *El cerebro del rey*.)

A nivel del organismo en general, al envejecer la piel pierde elasticidad, las células del oído pierden sensibilidad, las arterias se vuelven rígidas, las células del intestino pueden degenerar, y así se van deteriorando todas las células del cuerpo. Hay que tener en cuenta, sin embrago, que el envejecimiento cerebral es más complejo y delicado debido a la especificidad y funciones de las neuronas. Las neuronas son células especializadas en recibir y emitir señales eléctricas a partir de un estímulo químico, desencadenado por unas biomoléculas denominadas neurotransmisores. Las neuronas son grandes consumidoras de oxígeno. El cerebro representa, alrededor del 2 % del peso corporal, pero consume el 20 % del oxígeno que se inhala a través de los pulmones. En personas sanas el consumo de oxigeno por el cerebro disminuye un 6 % cada década. En consecuencia, con la edad también disminuye el metabolismo cerebral. A los ochenta años este se reduce a la mitad con respecto a los diez años de edad. El cerebro es realmente un órgano muy vulnerable.

El cerebro también pierde volumen al envejecer, en concreto entre un 0,2 y un 0,5 % anual. La corteza cerebral se adelgaza, se atrofia globalmente, pero algunas áreas, sobre todo las frontotemporales, lo hacen con más celeridad.

La disminución del volumen y del metabolismo cerebral conduce a la reducción progresiva de la capacidad cognitiva característica de la vejez. Está todavía en discusión si el envejecimiento cerebral es un proceso que ya se inicia en la juventud, o incluso en el mismo momento de la concepción, o si tiene lugar a partir de edades más avanzadas. En cualquier caso, se ha comprobado en estudios poblacionales que la memoria episódica, es decir la que utilizamos para almacenar y evocar experiencias personales, autobiográficas, empieza a declinar a partir de los cincuenta o sesenta años de edad.

En la ancianidad, cuando empiezan a alterarse las funciones cognitivas, se pierden primero las habilidades ligadas al razonamiento, que se aprendieron en la infancia después del lenguaje de convención social. Incluso cuando aparece la demencia se mantiene la regla: lo primero que se pierde es lo último que se aprendió, mientras que resiste más lo que es innato o se aprendió precozmente. Ello se debe a que las áreas donde se ubican los circuitos neurales que recogen los primeros conocimientos de la vida, como andar erguido, hablar y reconocer las relaciones sociales, tienen una fuerte carga innata que predispone a este aprendizaje, por lo que su conmutación neural es más precoz. Al envejecer estas áreas cerebrales son más resistentes al deterioro. En cambio, los conocimientos ulteriores, útiles en el desarrollo vital para conseguir recursos, buscar emparejamiento y mantenerse informado, se ubican en otras áreas de maduración más tardía. Se trata de conocimientos que en la vejez son menos necesarios para seguir viviendo. Se comprende, por lo tanto, que resista mejor la memoria filética, propia de la especie, junto a la referida al aprendizaje conseguido en la infancia y juventud.

Complementariamente, a la lentitud en el procesamiento de las percepciones se añaden el deterioro sensorial (visión, oído), las dificultades locomotoras (dolor, inestabilidad al andar) y los problemas cardiocirculatorios, de tal modo que se obliga al cerebro a un sobreesfuerzo, pues ha perdido capacidad de aprendizaje y, al mismo tiempo, está más ocupado en compensar y controlar estas deficiencias orgánicas. En consecuencia, se produce una menor disponibilidad energética para las funciones de la memoria.

La sexualidad no es un tema menor en el envejecimiento. Alcanzada la jubilación, a los sesenta y cinco años, la expectativa de vida en el mundo desarrollado permite una supervivencia de veinte o treinta años más. Eso es mucho tiempo. La mujer afronta esta etapa con mayor tranquilidad hormonal que el varón. Ya pasaron los sobresaltos menstruales, así como los deseos o riesgos de la gestación. También quedaron atrás los trastornos de la menopausia. Con la jubilación la mujer renueva su compromiso doméstico, se entrega a la función de abuela o inicia una nueva vida de actividad cultural y relaciones sociales. Se produce un reencuentro con la pareja, que puede ser satisfactorio o poco feliz. Con los años se han acumulado las gratitudes, pero también las frustraciones.

En cambio, el varón persiste en su competitividad masculina, aunque con la pérdida lenta y progresiva de la virilidad. Al varón abuelo le resulta más difícil reubicarse en la sociedad, pues ya ha perdido su rango y el relieve económico que lo distinguía de la mujer. De hecho, queda más solo y desocupado, puede pasear o ir a un bar a jugar las cartas, pero se halla lejos de la capacidad de iniciativa que despliegan muchas mujeres mayores.

Pasados los setenta años los varones, en su mayoría, mantienen una potencia sexual suficiente, si bien puede suceder que el deseo sea más fuerte que la energía necesaria para consumar el coito. En la mujer el deseo se debilita tras la menopausia y el consiguiente desajuste hormonal, aunque más adelante se recupera de nuevo.

Las condición física general, y con ella también el rendimiento sexual, serán mejores si se lleva una vida saludable, igual que en la juventud. Es aconsejable controlar la presión arterial, evitar el sobrepeso y el tabaco (primera causa de impotencia masculina), no abusar del alcohol, ser cauto con los psicofármacos, hacer ejercicio físico moderado y dormir una hora de siesta en la cama. Al envejecer hay que asumir las renuncias, aunque también hay que evitar el pesimismo provocado por unas limitaciones excesivas, que pueden hundir la moral del anciano.

Como se verá en los capítulos siguientes, los cambios neurobiológicos, físicos y cognitivos propios del envejecimiento son más ostensibles en las demencias, así como en otras enfermedades degenerativas. Junto al envejecimiento cabe considerar los antecedentes personales y la personalidad de cada individuo. La biografía personal condiciona la forma de envejecer, y también caracteriza las formas y síntomas de la demencia. Algún día conoceremos el contingente genético de la personalidad que condiciona gran parte de la vida, del comportamiento, así como de la forma de afrontar el envejecimiento, y probablemente de la degeneración cerebral ligada a la ancianidad.

Para terminar: la precariedad del anciano facilita el derrumbe personal. No es fácil convivir con la edad de las renuncias. En vez de buscar nuevas fuentes de interés y adaptarse a la situación, muchos ancianos se entregan a un lento abandono en la frustración resignada. La inseguridad y el temor pueden favorecer la lenta caída en la mezquindad. Como dijera Antonio Machado, el anciano se siente «solo, triste, cansado, pensativo y viejo». Solo las personas mayores que mantienen una buena estimulación mental y una vinculación emocional activa con el entorno son capaces de conservar la llama del interés, de la curiosidad por la vida. Se mantienen más activas y con menor deterioro y, por tanto, son menos viejas aunque sean personas ancianas. Este es el secreto para conseguir envejecer bien.

3

PERDER LA MEMORIA NO SIEMPRE ES ALZHEIMER

A partir de los cincuenta años es frecuente que las personas se quejen de pérdida o de falta de memoria. La queja más habitual es la dificultad para recordar los nombres, sobre todo los nombres propios de personas y lugares. En la antigua Roma, los patricios solían hacerse acompañar por esclavos jóvenes y cultos, y dotados de una gran memoria, para que les recordaran el nombre de las personas con las que se cruzaban en la calle. Los llamaban *nomenclator*, el que recuerda los nombres. Téngase en cuenta que en aquella época había pocas personas mayores de cuarenta años.

En general, esta sensación de pérdida de memoria se debe a las dificultades para acceder a la información de nuestro cerebro, en momentos en los que tenemos muchas cosas en la cabeza o sufrimos un conflicto emocional, a pesar de que la información sigue estando grabada en el cerebro. Nos cuesta relacionar el archivo cerebral donde almacenamos las caras con el archivo de los nombres, así como también con el de los recuerdos o los conceptos.

Las alteraciones en el estado de ánimo, en especial la ansiedad, así como el estrés, propician que olvidemos lo que íbamos a hacer. Cuando suena el teléfono, puede ocurrir que dejemos lo que llevamos en las manos en cualquier sitio y que después no recordemos que estábamos cargando con algo, o bien dónde lo hemos dejado. Es habitual escuchar a alguien comentar: «He ido a la cocina a buscar algo y, una vez allí, no he podido recordar qué era».

En la consulta médica, esta percepción de pérdida de memoria la vemos con mayor frecuencia en las mujeres que en los hombres. Al margen de que las mujeres son más susceptibles de sufrir demencia (como se verá más adelante), probablemente se deba a que ellas suelen estar pendientes de varias cosas al mismo tiempo, ya que su cerebro parece tener más capacidad para diversificar su atención, para ejercitarse en la denominada multitarea (*multitasking* en inglés). Se han comprobado claras diferencias anatómicas y funcionales entre el cerebro masculino y el femenino. Las mujeres tienen más sustancia gris (la corteza cerebral es más gruesa) y más conexiones entre los dos hemisferios cerebrales, mientras que los hombres tienen más sustancia blanca y más conexiones dentro de un mismo hemisferio cerebral (figura 1). Con la edad, esta capacidad de multitarea disminuye y las mujeres entran en una situación de alarma.

La sospecha de pérdida de memoria nos produce angustia, ya que la relacionamos con la pérdida de autonomía, y es entonces cuando aparece el miedo a tener que depender de otras personas.

Necesitamos la memoria para relacionarnos normalmente con los demás. Las conversaciones con nuestros semejantes suelen nutrirse de recuerdos: vivencias, experiencias comunes, noticias de la prensa o la televisión, programas, lecturas etc. La memoria nos hace sentir implicados en la vida, integrados en un proyecto social con protagonismo propio.

Se tiende a pensar que la pérdida de memoria es sinónimo de Alzheimer. Como se expone en los capítulos siguientes, en la enfermedad de Alzheimer se dan otras deficiencias además de los problemas de memoria. La sola sensación de pérdida de memoria no tiene porqué ser grave. En todo caso, tiene que estimularnos a ser más ordenados y vivir más tranquilos. Así, cuando se tiene tendencia a perder las llaves, lo aconsejable es ser más ordenado e instaurar rutinas de seguridad, evitando, sobre todo, el estrés. Hay que protegerse de las interferencias de los estímulos del entorno, aprendiendo a relativizar.

Con la edad nos agobiamos fácilmente con los ruidos, el movimiento y la actividad que nos rodea. Al mismo tiempo, el cerebro procesa la información con menos agilidad, más lentamente, pero también los órganos sensoriales, como el oído y la vista, se deterioran. Se oye y se ve con menor precisión que en la juventud. El cerebro tiene que realizar un mayor esfuerzo para percibir, procesar y registrar.

A diferencia de lo que sucede en la infancia, en la edad adulta disminuye la capacidad neuroplástica del cerebro, esto es, la facilidad con que las neuronas establecen nuevas conexiones entre ellas a partir de los estímulos sensoriales.

La capacidad de aprendizaje también está influida por el buen dormir. En la fase del sueño en la que soñamos, llamada fase REM, el cerebro selecciona lo que debe retener en la memoria, separando y guardando lo que es importante. Con la edad, el sueño se vuelve más ligero y más corto, con frecuentes despertares durante la noche, y disminuye el tiempo de la fase REM, lo que contribuye a dificultar el aprendizaje. Si además se abusa del alcohol y los psicofármacos, el resultado es todavía peor.

A partir de los sesenta años se producen cambios importantes en la vida, como la jubilación, y alteraciones en la dinámica familiar por la marcha de los hijos de casa. Son cambios que nos hacen darnos de bruces con una vida nueva para la que no nos hemos entrenado, para la que carecemos de experiencia. Hay que volver a adaptarse y aprender. En la infancia y la adolescencia, con gran capacidad de aprendizaje, nos instruimos para ir por la vida. Al hacernos mayores, esta capacidad de aprendizaje es menor y debemos aprender una nueva forma de vida, con horarios, expectativas y obligaciones diferentes. Al mismo tiempo, la capacidad física del organismo también va menguando. La fatiga, la apatía y los dolores crónicos nos persiguen y otras preocupaciones ocupan nuestro cerebro. Todo ello genera inquietud, malestar, dificultades de adaptación, lo que puede producir ansiedad, insomnio y, a veces, tristeza. Es fácil comprender que, en estas circunstancias, resulte más difícil fijar en la memoria cosas nuevas o recordar lo que hemos visto u oído. Este hecho es interpretado muy a menudo como un deterioro de la memoria, cuando en realidad se trata de los efectos de una menor capacidad de aprendizaje a causa de la edad, combinada con un defecto de atención y concentración.

Es muy característico en la edad avanzada perder la memoria reciente y, en cambio, recordar con gran detalle aspectos del pasado. Esto es así porque los recuerdos antiguos fueron almacenados en el cerebro cuando este era más joven y tenía mayor capacidad neuroplástica. Quedaron fijados para siempre. Las personas mayores a menudo no recuerdan lo que comieron ayer, pero en cambio recuerdan bien a los amigos de la adolescencia, la época en que iban a la escuela o hicieron el servicio militar, o la casa donde vivieron en su juventud. De ahí que los ancianos tengan la costumbre de hablar de tiempos pretéritos.

También es cierto que cuando envejecemos la memoria no es tan importante e imprescindible como en la juventud. No tenemos que aprender a vivir, porque ya lo sabemos hacer, y precisamos menos información. Disponemos de todos los recuerdos de nuestra vida, de nuestra biografía, que es la que ha influido en nuestra personalidad y en nuestra forma de ver la vida. Al envejecer tenemos la oportunidad de transmitir nuestra experiencia a los hijos y, especialmente, a los nietos.

Algunas personas acuden a la consulta del médico neurólogo por iniciativa propia, preocupadas por los problemas de memoria. La mayoría de las veces se trata de un deterioro leve que no evolucionará hacia la demencia. En otros casos es la familia la que ha tomado la decisión de llevar al familiar a la consulta del neurólogo, o bien ha sido el médico de cabecera el que lo ha aconsejado. Así pues, la consulta se produce porque la familia ha observado que la pérdida de memoria del paciente está repercutiendo en su conducta diaria o han aparecido otras dificultades añadidas: ordena mal sus cosas, traspapela documentos, facturas y cuentas, no cuida su aspecto o se desorienta en la calle.

En estos casos, es frecuente que el paciente no entienda por qué lo llevan al médico. Él se muestra tranquilo porque está convencido de que no tiene ningún problema, mientras que la familia está muy preocupada. Esta disparidad en la percepción de la enfermedad es una señal de alarma importante. Cuando la familia detecta que el posible enfermo está perdiendo capacidad mental, suele acertar, a diferencia de lo que sucede cuando es el interesado el que acude a la consulta por miedo a sufrir la enfermedad de Alzheimer. La ausencia de percepción de dificultades o trastornos por parte del paciente, que denominamos anosognosia en términos médicos, es un posible y frecuente síntoma precoz de demencia.

En las personas ancianas también es habitual que,

ante una pérdida discreta de capacidades mentales, con conciencia del propio déficit cognitivo, estas lo vivan sin angustia, como una etapa más en la vida. Esta eventualidad es más frecuente en los varones. Un paciente de ochenta y cinco años decía: «Mi esposa es mi cerebro, el mío ya no funciona bien. Ella hace y deshace, y lo organiza todo. A mí ya me parece bien, aunque me sabe mal no estar a su nivel». Unos años más tarde, este paciente desarrolló la enfermedad de Alzheimer.

Las personas que actualmente pertenecen a la tercera edad formaron parte de una generación en la que el hombre solo se dedicaba a su trabajo, y todas las responsabilidades de la logística doméstica, así como las referentes a los hijos, recaían en la mujer. En la tercera edad, la vida cotidiana consiste en organizar el día a día, en cuidar y abastecer la vivienda y el vestuario, y a menudo en cuidar de los nietos, unas ocupaciones que el varón está acostumbrado a delegar en la mujer, por lo que a esta le resultará más difícil adaptarse si aparecen dificultades cognitivas que le creen problemas para desenvolverse con la seguridad de antes.

Entre un 10 y un 20 % de las personas mayores de sesenta y cinco años padecen una pérdida de memoria o deterioro de otras funciones mentales que supera lo que se puede esperar en personas sanas de su misma edad y nivel cultural, pero que no interfiere de forma significativa en su vida diaria, ni en su ámbito laboral ni social. Es lo que se denomina deterioro cognitivo leve (DCL) o *mild cognitive impairment (MCI)* en inglés. Se trata de un estado intermedio entre la normalidad cognitiva y la demencia. La mayoría de personas con DCL pueden permanecer en esta situación el resto de su vida, aunque alrededor del 12 % evolucionan hacia la demencia. Actualmente existen varios estudios dirigidos a detectar qué pacientes con DCL sufren mayor riesgo de desarrollar la enfermedad de Alzheimer, mediante el uso de biomarcadores en líquido cefalorraquídeo o PET-Scan (una técnica que se explica en detalle en el capítulo 9). En pocos años estarán al alcance de la práctica neurológica habitual.

El DCL puede tener diferentes perfiles. En unos casos, el síntoma predominante es la pérdida de memoria (DCL amnésico), mientras que en otros serán otras funciones mentales las afectadas (DCL no amnésico). El DCL amnésico es el que presenta un mayor riesgo de evolucionar hacia una enfermedad de Alzheimer. De las personas mayores con DCL amnésico, entre un 10 y un 15 % desarrollan EA cada año. Por ello es importante, tanto para el interesado como para la familia, realizar el diagnóstico precoz y preciso del DCL. Se trata de establecer si solo existe afectación de la memoria u otras carencias cognitivas, o si lo que predomina es la apatía con cambios de carácter y de la conducta. Según el perfil biográfico y la personalidad de cada paciente, será más fácil o difícil predecir la evolución futura. En todo caso, es recomendable que cuando aparezcan las primeras dificultades cognitivas se consulte al neurólogo, quien puede valorar su importancia y la conveniencia de realizar exámenes especializados.

El principal factor de riesgo para la aparición del DCL es la edad, pero hay otros factores que la favorecen, como la hipertensión, la diabetes, el exceso de colesterol, algunas deficiencias vitamínicas (B12 y D) y las apneas del sueño. También el abuso de alcohol, y especialmente el tabaquismo, son factores de riesgo vascular (que se describen en el capítulo 8).

Las personas con DCL mantienen la independencia en las actividades de la vida diaria y, con pequeñas ayudas familiares, pueden llevar una vida normal acorde con su edad. Si conducen será aconsejable dejar de hacerlo, ya que pueden sufrir cierto enlentecimiento de la capacidad de reacción ante los problemas.

3.1. ¿QUÉ ES LA MEMORIA?

La memoria es el proceso cognitivo (mental) que permite registrar, codificar, consolidar, almacenar, acceder a la información y recuperarla. Es un proceso básico para la adaptación del ser humano al mundo que le rodea. La memoria es la base del aprendizaje, que se produce gracias a la plasticidad del cerebro. Se puede considerar aprendizaje al conjunto de cambios permanentes en la conducta, mediante modificaciones estructurales del sistema nervioso resultantes de la experiencia y la memoria. Se asienta en la formación de conexiones (sinapsis) entre las neuronas y en la generación de circuitos, con miles de neuronas, donde se fija lo aprendido. La formación de la memoria se produce en dos etapas. En primer lugar, se retiene la información durante un tiempo breve, que es la memoria a corto plazo, como, por ejemplo la que utilizamos al retener brevemente un número de teléfono para marcarlo o para transcribir al papel un dato que acabamos de oír en la televisión. Es esta una memoria efímera, que puede sufrir fácilmente la interferencia de otra información o de estímulos del entorno. Se incluye dentro de la memoria a corto plazo la llamada memoria de trabajo, que es la que nos permite retener momentáneamente datos recientes y manipularlos para utilizarlos en nuestros razonamientos o toma de decisiones: «Me acaban de decir que se ha cancelado el vuelo, pero la reunión es dentro de tres horas, por lo que sacaré rápidamente un billete para el tren».

En cambio, si la información o la experiencia se repiten varias veces, queda registrada de forma duradera, constituyendo la memoria a largo plazo, que contiene gran cantidad de información. Es la que nos permite recordar cómo conducir el coche, nuestra dirección o cómo realizar nuestro trabajo. Esta grabación permanente en el cerebro, llamada consolidación de la memoria, se produce gracias a la plasticidad neuronal. La llegada de información al cerebro estimula la formación de nuevas sinapsis o conexiones entre las neuronas y, gracias a ello, se desarrollan las redes neuronales más extensas y complejas.

La información llega al cerebro a través de los órganos sensoriales (oído, vista, tacto, olfato y gusto). Una estructura cerebral imprescindible para recordar esta información es el sistema límbico, situado en el lóbulo temporal del cerebro (figura 2). El área más relevante para la memoria dentro del sistema límbico es el hipocampo. Si imaginamos una aguja de hacer punto que nos entre en la cabeza por delante y por encima del lóbulo de la oreja, atravesando el cerebro de un lado a otro, tocaríamos con la aguja las áreas temporales donde se hallan los hipocampos. Hace años que los neurólogos sabemos que la lesión del hipocampo impide la consolidación de la memoria. En concreto desde 1957: un paciente, H. M., al que se le extirparon quirúrgicamente los dos hipocampos para tratarle una epilepsia, sufrió una amnesia anterógrada, es decir, una incapacidad para fijar en su cerebro nueva información. Por ejemplo: si sabía ir en bicicleta seguía conservando esta habilidad, pero no podía aprenderla de nuevo si no lo sabía antes. En las demencias, en especial en la enfermedad de Alzheimer, se produce característicamente la degeneración de los hipocampos. Por ello, el enfermo no puede memorizar. En la imagen de atrofia cerebral (disminución del volumen del cerebro) de la figura 5B puede observarse que la zona del hipocampo ha desaparecido en las personas con enfermedad de Alzheimer.

Pero, además del hipocampo, muchas otras áreas de la corteza cerebral son capaces de registrar la información, almacenándola en uno u otro archivo del cerebro en función de su contenido y calidad: palabras, caras, colores, razonamientos, conceptos, etc. Esta grabación debe consolidarse después para poder formar la memoria a largo plazo, con recuerdos que perduren en el tiempo.

Sabemos que la memoria humana es fundamentalmente asociativa: se puede recordar mejor una información recibida si se la relaciona con experiencias previas que ya están registradas en la memoria. Y cuanto más importante sea la asociación, más efectiva es a la hora de ayudar a recordar: la información aislada se pierde con más facilidad que aquella que se vincula con conocimientos previos o con estímulos simultáneos. Es interesante la asociación del hipocampo con la amígdala cerebral, que regula la capacidad emocional: todos hemos podido comprobar lo intensamente que queda grabado en nuestro cerebro el recuerdo de experiencias con gran carga emocional, sea esta negativa o positiva; un buen ejemplo son las fobias, por ejemplo al avión o a los perros, en las que el recuerdo de una primera experiencia negativa provoca un miedo intenso.

El envejecimiento del cerebro afecta especialmente a la atención, a la velocidad de procesamiento de la información (el cerebro trabaja más lentamente) y a las funciones ejecutivas (planificación, organización). Estas alteraciones conducen al deterioro de la memoria de trabajo que, como se ha comentado antes, es la que nos permite razonar y tomar decisiones de forma inmediata manipulando la información reciente. La memoria de trabajo es la que más utilizamos en la vida cotidiana. Otro fenómeno implicado, también propio de la edad, es la disminución del control inhibitorio, es decir la menor capacidad del cerebro para impedir, o al menos filtrar, la entrada de información irrelevante, que ocuparía parte del «espacio de trabajo» del cerebro. Este fenómeno explica que, con los años, cada vez nos resulte más agobiante la presencia de mucha gente a nuestro alrededor, sobre todo si todos hablan a la vez o se interpelan sin orden alguno; o que nos abrume ver el escritorio lleno de papeles en desorden y no sepamos por dónde empezar a arreglarlo.

3.2. ¿CÓMO SE GRABA LA MEMORIA EN EL CEREBRO?

Cuando la información llega al cerebro, sea por vía visual, auditiva o de cualquier otra índole, produce cambios químicos en los receptores especializados de las células cerebrales denominadas neuronas (figura 3A). Los cambios químicos transforman esta señal en un impulso eléctrico que discurre por las neuronas y sus prolongaciones. El impulso, en el seno de la red neuronal que constituye el cerebro, pasa de neurona a neurona a través de las sinapsis, que son las zonas de contacto entre las mismas (figura 3B). Las sinapsis cuentan con la protección de otras células nerviosas, las células de glía o gliales, que abrazan y protegen a las sinapsis, dotándolas de mayor eficiencia (figura 3C).

Con el estímulo se producen corrientes eléctricas y la liberación de unas moléculas, denominadas neurotransmisores, que estimulan los receptores de la neurona adyacente. Cuando el estímulo se repite y el sistema límbico interpreta que se trata de una información relevante, se consolida un determinado circuito en un grupo de neuronas, que dará lugar a un recuerdo duradero en el tiempo. A este fenómeno se le llama potenciación a largo plazo. Ya Ramón y Cajal, en 1913, supuso que el almacenamiento de la información dependía de la intensidad de la conexión sináptica entre las neuronas. Lo explicó didácticamente en una frase: «Las sinapsis son el refugio del recuerdo». Actualmente se sabe que la consolidación del recuerdo a largo plazo tiene lugar a través de varios mecanismos: formación de nuevas sinapsis, síntesis de proteínas y expresión de los genes. Los circuitos se vuelven progresivamente más complejos, conectando miles de neuronas. Se calcula que en el cerebro hay unos cien mil millones de neuronas, que pueden formar más de mil billones de sinapsis. Además, en cada circuito neuronal se pueden almacenar varias memorias diferenciadas, participando cada neurona, de forma más o menos intensa, en cada una de las memorias. Podríamos comparar este escenario con el de una persona que forma parte de varios clubes o distintas redes sociales a la vez, en los que participa más o menos según el interés o el tipo de información que reciba de cada club o cada red.

En la infancia existe una gran capacidad neuroplástica. Con la llegada de información al cerebro se establecen muchas conexiones entre las neuronas. Los niños aprenden mucho y muy rápidamente. Con la edad, esta capacidad disminuye progresivamente, por lo que el aprendizaje resulta más difícil. No sabemos a ciencia cierta cuáles son las alteraciones responsables de la pérdida cognitiva propia del envejecimiento, aunque probablemente se trate de varios mecanismos: la disminución de los contactos sinápticos y de la liberación de neurotransmisores, la alteración o inflamación glial, la degeneración de algunas proteínas de las neuronas y, sumada a todo ello, la menor respuesta de los receptores ante los neurotransmisores. Para conocer mejor el funcionamiento cerebral y las redes de neuronas, remitimos al lector a *El cerebro del rey*, especialmente los capítulos 5, «Envejecimiento», y 7, «Estructura y organización del sistema nervioso».

En el cerebro anciano pero sano persiste cierta capacidad neuroplástica que permite que las neuronas establezcan nuevas sinapsis para compensar parcialmente el deterioro de otras neuronas (figura 4). En cambio, cuando se trata de la enfermedad de Alzheimer, además de la muerte de neuronas, que produce la atrofia cerebral, o disminución del volumen del cerebro (figuras 5, A y B), también se pierde la capacidad plástica de las sinapsis. Así se diluyen los recuerdos.

El neurotransmisor más estudiado en relación con la memoria es la acetilcolina, cuya liberación aparece disminuida en la enfermedad de Alzheimer (EA), por lo que constituye una de las grandes líneas de investigación. Los fármacos más utilizados en la EA provocan un aumento de los niveles cerebrales de acetilcolina.

Si la generación de sinapsis guarda relación con su mantenimiento y, por tanto, con el aprendizaje, cuando nos jubilamos y perdemos los estímulos laborales, es bueno recurrir a técnicas que mantengan la estimulación plástica del cerebro con la finalidad de continuar formando nuevas sinapsis, y así mantener la capacidad mental. Más adelante haremos hincapié en la importancia de la estimulación cerebral como medida antienvejecimiento.

4

EL DETERIORO Y LA DEMENCIA

4.1. ¿QUÉ ES LA DEMENCIA?

La demencia es un estado que se caracteriza por la aparición de un deterioro cognitivo continuado que interfiere con la capacidad del individuo para llevar a cabo sus actividades laborales o sociales. La persona con demencia pierde progresivamente las funciones intelectuales, desde la memoria al lenguaje, la capacidad para razonar, la orientación en el tiempo y el espacio, o la capacidad para reconocer lugares, objetos y personas, a lo que hay que añadir alteraciones de la conducta. Esta pérdida se produce de forma lenta y progresiva, nunca repentina.

No son demencias las deficiencias mentales que han aparecido al nacer, por dificultades en el parto, por algún trastorno embrionario o por anomalía cromosómica, como el síndrome de Down. Tampoco son demencias las alteraciones mentales atribuibles a una enfermedad psiquiátrica de larga evolución iniciada en la juventud.

Sin embargo, la frontera entre las demencias neurodegenerativas y las enfermedades mentales resulta cada vez más difícil de establecer, ya que en estas últimas también existen alteraciones genéticas, estructurales y moleculares que las desencadenan. Es posible que en el futuro se tengan que redefinir las diferencias vigentes en la actualidad entre la patología mental de origen neurodegenerativo, como son las demencias, y la patología psiquiátrica.

La demencia supone un deterioro cognitivo (o mental) que altera las actividades de la vida diaria y acaba incapacitando al enfermo para realizarlas. Como hemos expuesto en el capítulo anterior, las pérdidas de memoria relacionadas con la edad no siempre pueden ser consideradas demencia, excepto cuando se suman a la incapacitación de la persona afectada.

En términos médicos, decimos que la demencia es un síndrome. Esto es, un conjunto de síntomas descritos por el paciente o su familia y sumados a los trastornos que observa el médico. La demencia puede estar ocasionada por diferentes enfermedades, de forma parecida a la fiebre y el malestar general que pueden ser manifestaciones de la gripe o de otros procesos infecciosos. La demencia puede tener su origen en distintas enfermedades «demenciantes» que se exponen en los capítulos siguientes. De todas formas, ya que la más frecuente es la enfermedad de Alzheimer, utilizaremos esta demencia como hilo conductor para hablar de la historia de estos trastornos.

Según cuál sea la enfermedad causante de la demencia, los síntomas pueden ser diferentes. Incluso en el caso de la misma enfermedad se observan diferencias sintomáticas entre los pacientes, probablemente como resultado de la combinación de la genética, la biografía, la personalidad previa, la edad de inicio y los antecedentes patológicos, así como también por la posible coexistencia de otras lesiones cerebrales yuxtapuestas. Como se explica en los siguientes capítulos, en la enfermedad de Alzheimer el primer síntoma es típicamente la pérdida de memoria, mientras que en las demencias frontotemporales prevalecen los trastornos de la conducta y en la demencia con cuerpos de Lewy domina la alteración visoespacial, junto con lentitud motriz y rigidez muscular. Por otro lado, la demencia vascular suele verse precedida por episodios de ictus (infarto cerebral).

El predominio de unos u otros síntomas es consecuencia de la región o estructura cerebral que se afecta al inicio, y varía en función de la enfermedad que cause la demencia. El cerebro comprende una gran cantidad de centros y vías con funciones diferenciadas; aunque todos estén integrados en el conjunto del sistema nervioso, se comprende pues que, dependiendo de dónde se inicie la alteración o se sitúe la primera lesión, o de qué tipo de lesión se trate, tendrá una expresión sintomática diversa. Cuando la degeneración del tejido nervioso ocurre en las áreas temporales (o laterales) del cerebro, como sucede en la enfermedad de Alzheimer, el síntoma inicial son las alteraciones de la memoria. En cambio,

cuando se afecta la parte frontal (o anterior del cerebro), los síntomas dominantes están relacionados con
trastornos de la conducta. También hay diferencias si
las lesiones cerebrales iniciales son corticales, en la corteza o capa externa del cerebro, o subcorticales, en el centro
del mismo. La diferente localización da lugar a distintas
expresiones sintomáticas de la enfermedad, como se ha
podido observar en los ejemplos del capítulo 1. En todo
caso, con el progreso de la demencia las lesiones cerebrales se van extendiendo y afectando progresivamente
a más áreas del cerebro.

En los capítulos siguientes nos referiremos a estos aspectos al hablar de las distintas enfermedades que pueden producir demencia.

A pesar de las diferencias entre los diversos tipos de
demencia, suelen compartir gran parte de las manifestaciones sintomáticas a medida que progresan, por lo que
hemos preferido hacer una descripción del curso clínico
más característico y más frecuente: el de la enfermedad
de Alzheimer.

4.2. LA PÉRDIDA DE MEMORIA

Cuando el síntoma inicial es la pérdida de memoria, la
sospecha de demencia llega cuando empieza a alterar
la vida cotidiana del enfermo. Por ejemplo, cuando el paciente ordena las cosas de forma distinta a la habitual y
después no las encuentra, cuando los olvidos empiezan

a repercutir en su actividad laboral, cuando queda para encontrarse con amigos y acude a un lugar equivocado, cuando va a realizar las compras y olvida gran parte de los artículos o la despensa está llena de alimentos repetidos, o cuando se le quema la comida porque olvida apagar el fuego. En ocasiones, es el propio paciente el que explica que, además de perder memoria, tiene una sensación extraña, que se siente distinto de antes, con menor capacidad de trabajo y menos competente en su día a día. La familia puede observar que el paciente pierde interés por las relaciones sociales, o que está más apático, y que abandona sus aficiones habituales.

4.3. LA DEPRESIÓN COMO PRIMER SÍNTOMA

A veces, la consulta se realiza porque el paciente sufre desde hace muchos meses una depresión que no ha mejorado con tratamiento psiquiátrico o que, si bien mejoró al iniciar el tratamiento, después reapareció con mayor fuerza. Este cuadro resulta más preocupante para la familia cuando se trata de una persona que nunca había mostrado síntomas depresivos en su juventud. El paciente se suele mostrar apático y triste, aunque no llore, con semblante permanentemente preocupado, y no sabe explicar los motivos que lo llevan al desánimo. Habla poco, está pasivo, y observa el desarrollo de la consulta desde cierta distancia emocional, como si él no fuera el protagonista. A pesar de todo, todavía es completamente autónomo: se vale por sí mismo, hace vida normal y contesta bien a todas las preguntas.

En ocasiones lo que parece ser un cuadro depresivo no es más que apatía, un síntoma frecuente en las enfermedades degenerativas. A la familia le llama la atención que al paciente le falten ilusiones, que no tenga proyectos y que abandone sus aficiones. El enfermo no suele ser consciente de su propia pasividad y no suele sufrir a causa de ella. Si se le pregunta si está triste, suele contestar que no.

4.4. OTROS COMIENZOS

En ocasiones el paciente es una persona que siempre se ha mostrado pasiva, estrechamente dependiente del cónyuge, sin iniciativa ni opiniones propias. Se trata de personas con una cultura limitada y sin vida social propia que, por regla general, se sienten satisfechas sometiéndose siempre a las directrices y las costumbres que impone la familia. En estos casos, cuando fallece el cónyuge del paciente la consulta suele realizarse por iniciativa de un hijo, porque la ausencia de la pareja ha puesto de manifiesto el deterioro. Nadie se había dado cuenta de que la esposa o esposo del enfermo había asumido sus carencias y las había ido supliendo sin más, sin quejarse.

Es posible que el motivo de la primera consulta sea una conducta rara o que hace sospechar la existencia de un trastorno mental. No es infrecuente que esto suceda por un problema de celos infundados. Cuando la pareja se ausenta para ir a comprar, a su regreso el paciente puede que la acuse de haber estado con otra u otro. La famosa primera descripción de la enferma Auguste D. por parte del doctor Alois Alzheimer, a principios del siglo xx, describe este síntoma (la celotipia) como el problema inicial de la enfermedad, como se verá más adelante.

Otras veces la consulta se produce porque el paciente sospecha que un familiar, la asistenta o un vecino le quieren robar o envenenar. En otras ocasiones, el enfermo alarma a la familia porque ha imaginado un gran negocio, que precisa de una fuerte inversión pero que tendrá grandes beneficios. Los familiares intentan hacerle entender que la idea es poco acertada, incluso peligrosa para su patrimonio, pero el paciente se niega a escuchar o piensa que todos se han confabulado para quedarse con su dinero. Estos enfermen inician la demencia con síntomas propios de un trastorno mental, como una psicosis, con obsesiones, paranoias, fabulaciones, delirios o alucinaciones. Se sobreentiende que se trata de pacientes sin antecedentes de enfermedad mental previa. Al contrario, es posible que se trate de un paciente que haya demostrado siempre un gran sentido común, lucidez y capacidad autocrítica. En ocasiones, las alucinaciones aparecen de forma precoz, de tal modo que el paciente se queja de que hay extraños en su casa. A menudo los señala en el vacío, pidiendo que les ordenen que se vayan. Los familiares quedan desconcertados y le explican que no hay nadie, pero el enfermo los mira perplejo, con desconfianza y extrañeza.

En la consulta puede suceder que el paciente se sienta muy intranquilo, agobiado, que llore fácilmente y que no entienda por qué lo han llevado al médico. Puede sentir que los familiares lo están acusando de no haber hecho algo bien, de portarse mal. En otras ocasiones, la actitud del enfermo es infantil, ríe de forma insulsa y pueril, sin entender por qué está en la consulta y, si se le pregunta por el motivo de la visita, explica que ha sido una decisión de los familiares por razones que desconoce, y vuelve a reír. Algunos pacientes se enfrascan en reflexiones que no vienen al caso, divagando sobre principios o ideas generales sobre la vida, enredándose en un discurso sin fin y sin retorno.

4.5. EVOLUCIÓN DE LA DEMENCIA

Al principio, la demencia evoluciona de forma más o menos rápida, dependiendo de la enfermedad que la origina, como se expone en los capítulos siguientes. También influye la edad. En las personas jóvenes la evolución suele ser más agresiva y rápida que en los ancianos. Incluso influye el nivel educacional y cultural. En personas mayores la evolución puede ser más lenta si el paciente ha tenido una buena formación y una vida intelectualmente activa. Y más aún, si sigue activo a pesar de la edad.

Poco a poco la demencia va deteriorando todas las funciones mentales: memoria, orientación en el espacio, conducta, comportamiento social, lenguaje, etc. En cuanto al lenguaje, el deterioro puede manifestarse como una dificultad para evocar las palabras o responder de forma clara y concisa a las preguntas. El paciente se enreda en largas explicaciones, pasando de un tema a otro, sin acabar de encontrar la forma de dar una respuesta sencilla, o incluso perdiéndose en circunloquios y olvidando cómo había empezado la conversación.

A veces la alteración más precoz es la pérdida del lenguaje espontáneo. El paciente no inicia ninguna conversación, si bien todavía ofrece respuestas correctas cuando se le pregunta. Los enfermos van olvidando el léxico, después pierden la sintaxis y, finalmente, solo son capaces de pronunciar algunas frases cortas, generalmente convencionales, del tipo «qué tal, cómo estás», «estoy bien, me alegro de verte», «hace buen tiempo», «aquí se está bien», etc. Recordamos a un paciente que, aunque todavía podía hablar, repetía «no estoy, no estoy...», y se quedaba serio, triste, abatido, con sensación de abandono. En algunos casos, la alteración del lenguaje es el primer síntoma y se hace tan grave que, aunque otras funciones mentales estén todavía preservadas, altera por completo la vida laboral y social del paciente. Hay pacientes que, habiendo perdido la capacidad para hablar, pueden seguir leyendo en voz alta durante cierto tiempo, tanto en el propio idioma como en otro que conocían con anterioridad, pero no comprenden lo que leen ni pueden explicarlo. Finalmente, al cabo de unos años, el paciente se queda en silencio. Alguna vez hemos observado que en esta fase aún queda cierta capacidad para silbar y entonar alguna melodía sencilla. Otros pacientes inician el proceso a la demencia con la pérdida precoz de la articulación de palabras , seguida de la pérdida total del lenguaje. Este trastorno recibe el nombre de denomina afasia progresiva primaria, como se explicará más adelante.

Progresivamente el paciente va perdiendo la capacidad para reconocer los objetos, los lugares y las personas. A los familiares les alarma comprobar que confunden los objetos domésticos, lo que les puede llevar, por ejemplo, a usar el dentífrico para afeitarse. Dejan de reconocer los diferentes lugares de la casa y pueden orinar en la cocina o en el armario del dormitorio, creyendo que están en el lavabo. A veces confunden lo que ven en la televisión con la realidad y creen que el locutor les está hablando a ellos. Recordamos una paciente que se ponía ropa elegante para ver la televisión, para que el presentador de las noticias la viera siempre bien vestida. A veces, se enfadan con los personajes que aparecen en la pantalla y les interpelan.

La desorientación dentro del domicilio empeora cuando diversos miembros de la familia comparten la custodia del paciente y este debe pasar un tiempo en casa de cada familiar. En estos casos, la desorientación suele empeorar de forma grave. Al enfermo con demencia le conviene vivir siempre en el mismo domicilio, mejor aún si es en su casa de toda la vida, puesto que los espacios donde ha vivido están firmemente arraigados en el cerebro y le sirven como referentes.

Cuando el paciente empieza a confundir a los miembros de la familia puede llegar a creer que sus hijos son sus hermanos o incluso sus propios padres, probablemente fallecidos mucho tiempo atrás. La inseguridad que siente un paciente con demencia al no poder recordar y al perder sus referentes, hace que muchas veces persiga por todas partes al familiar o al cuidador que tiene en casa, y que se enfade o se inquiete mucho cuando este se ausenta de la vivienda durante un tiempo. Tiene que vivir pegado a la persona que representa para él el único vínculo que le une con la vida. En la consulta es frecuente ver que los enfermos dedican miradas o expresiones de alegría y de cariño a las personas que han sido afectivamente importantes en su vida, aunque ya no sepan identificarlas por su nombre o parentesco; esto sucede, incluso, cuando han perdido ya la capacidad de hablar. Es una muestra evidente de que aún persisten las emociones positivas que se asocian a la presencia de esas personas. Por eso resulta tan importante seguir mostrando afecto y ofrecer muestras de cariño a estos pacientes, incluso cuando ya se hallan en fases avanzadas de la enfermedad.

En esta etapa el enfermo va perdiendo progresivamente la habilidad para realizar la cadena de movimientos necesarios con un objetivo concreto, como manejar adecuadamente los objetos cotidianos: olvida cómo utilizar el pintalabios o la maquinilla de afeitar, el peine o el lápiz para escribir o hacer un dibujo sencillo (dos rectángulos), u olvida cómo y en qué orden debe ponerse las piezas de ropa para vestirse. La dificultad no radica en ninguna parálisis de las extremidades, sino en que el cerebro no sabe planificar, secuenciar y coordinar los movimientos precisos para una acción concreta. Es lo que en terminología médica se conoce como apraxia. Un signo precoz de apraxia puede ser la dificultad del enfermo para ponerse y mantener ajustado el cinturón de seguridad en el automóvil.

En etapas avanzadas de la enfermedad el paciente puede permanecer inmóvil durante horas, con la mirada perdida, o por el contrario pasar horas caminando de forma errante por la vivienda, toqueteando los objetos con inquietud. Puede presentar movimientos estereotipados, es decir repetitivos y sin finalidad concreta, como pasar las páginas de una revista o coger con los dedos el dobladillo de la camisa o de una sábana, y doblarlo, enrollarlo y desdoblarlo una y otra vez. En esta fase se ha perdido la capacidad para el razonamiento y para el juicio. El paciente puede ser muy inflexible y negarse a hacer lo que se le indica, se opone a que le vistan, a que le laven, a tomar la medicación, porque no comprende nada de lo que ocurre a su alrededor y está confundido. Desaparece la capacidad para cuidar de uno mismo, para ser autónomo.

Progresivamente el enfermo se vuelve totalmente dependiente de los familiares y cuidadores. Acaba perdiendo el sentido de identidad, se produce una despersonalización total. El deterioro cognitivo avanzado se manifiesta también en el aspecto del enfermo, que pierde la expresividad facial y muestra un rostro exento de cualquier emoción, con la mirada perdida; camina lentamente, a pasos cortos, con inseguridad, y no acierta a sujetarse con las manos si pierde el equilibrio.

Hemos observado que algunos enfermos, incluso en etapas avanzadas de la demencia, pueden mostrar efímeros momentos de lucidez, en los que recuperan la expresividad de la mirada e incluso pueden pronunciar, ocasionalmente, una frase breve, gramaticalmente correcta y oportuna, sea como respuesta a una pregunta o —lo que todavía resulta más intrigante— a modo de comentario sobre la conversación que se está desarrollando en su presencia.

En las fases avanzadas pueden aparecer síncopes o desmayos por alteración de la frecuencia cardíaca (arritmia) o descenso de la presión arterial, con la consiguiente falta de aporte sanguíneo al cerebro. También pueden aparecer mioclonías (breves contracciones musculares involuntarias) y crisis epilépticas.

Todas las demencias progresan de forma inexorable, aunque haya algunas diferencias en la forma y velocidad en función de la enfermedad que las origine, es decir, según el tipo de demencia. En el siguiente recuadro se resumen las alteraciones más habituales.

Cuadro sintomático general de la demencia

Deficiencias cognitivas:

- Pérdida del aprendizaje de cosas nuevas.
- Pérdida de la memoria reciente.
- Pérdida de la memoria antigua.
- Pérdida de la orientación en el tiempo y el espacio.
- Pérdida del reconocimiento de objetos, espacios y personas.
- Pérdida de la habilidad para dirigir y coordinar los movimientos para un objetivo: vestirse, lavarse, utilizar los cubiertos para comer, etc.
- Pérdida del lenguaje.
- Alteración del sueño, con somnolencia de día y agitación nocturna.
- Pérdida del equilibrio.
- Pérdida de la coordinación motriz para andar.

Trastornos del estado de ánimo y de la conducta:

- Apatía.
- Paranoia.
- Depresión.
- Ansiedad.
- Euforia.
- Irritabilidad y agresividad.
- Agitación.
- Delirio.
- Alucinaciones.
- Desinhibición.

En la fase final o terminal de la demencia se produce una imposibilidad total para andar, para cambiar de postura en la cama y para tragar (deglutir) alimentos sólidos y líquidos. El enfermo, cuando está bien cuidado, no padece molestias físicas, aunque a veces realiza muecas de incomodidad cuando se le moviliza, probablemente por la rigidez y los dolores osteoarticulares que genera la inmovilidad. Por ello es importante proseguir con la fisioterapia incluso en fases avanzadas de la enfermedad. En esta etapa el paciente no tiene conciencia de su deterioro, por lo que quienes más sufren por la situación son los familiares, por la carga emocional que comporta. En ellos se produce una extraña mezcla de recuerdos, incomprensión, dolor y compasión.

La fase terminal resulta trágica, aunque —insistimos— indolora. El enfermo acaba despersonalizado, mudo y paralizado, flexionado sobre sí mismo (actitud fetal), con una mínima respuesta a los estímulos, si bien puede abrir los ojos al ser acariciado. Luego entra en estado vegetativo hasta la muerte, es decir como si estuviese en coma, sin responder a los estímulos, pero con las funciones vegetativas preservadas.

En general, el fallecimiento se produce como consecuencia de una infección intercurrente, respiratoria, urinaria o de las úlceras por decúbito que aparecen por estar permanentemente acostado, especialmente en las zonas de apoyo en la cama, como el talón o la parte inferior de la espalda. Otras veces, a menudo en el caso de los ancianos, se produce la muerte súbita por paro cardíaco. La muerte suele acontecer entre cinco y doce años después de iniciada la demencia.

Los familiares son testigos obligados de la decadencia del enfermo, que no se mueve, no les habla, no les mira y no puede compensarles ni siquiera con una mirada por el gran esfuerzo emocional que realizan desde hace tiempo, rematado por el dolor que implica la pérdida de una persona querida. Nos decía un familiar: «Mi madre está inválida en la cama con los ojos tristes, que ya no miran». Volveremos sobre la asistencia y los tratamientos en el capítulo 10.

Como hemos visto, la demencia evoluciona de forma progresiva y pasa por diversas etapas. Los síntomas de cada etapa pueden variar de un enfermo a otro según el tipo de demencia, pero en líneas generales se pueden resumir en cuatro grandes fases evolutivas:

1. Empiezan a observarse leves dificultades cognitivas, más frecuentemente en forma de pérdida de memoria, con o sin cambios de carácter, trastorno del ánimo o apatía. Aunque el paciente con frecuencia niegue su deterioro, es capaz de entender lo que le ocurre y, por tanto, puede tomar decisiones sobre su vida, la familia y el patrimonio, con ayuda familiar.

2. Se añaden nuevas carencias cognitivas, como la desorientación espacial o los problemas de lenguaje, que empiezan a repercutir en el día a día, por lo que el paciente precisa cada vez más apoyo

y supervisión, especialmente para las actividades de la vida diaria (higiene, vestimenta, alimentación).

3. Se produce la dependencia completa para las actividades de la vida diaria, con pérdida del lenguaje y de toda iniciativa, pero se mantiene la movilidad para los desplazamientos de forma autónoma o con poca ayuda.

4. Encamamiento permanente, sin intención comunicativa, sin movimiento y con dificultades de deglución.

Es aconsejable que la consulta al neurólogo se realice en la primera fase, cuando el paciente aún puede colaborar y tomar decisiones, para hacer el diagnóstico de probabilidad de forma precoz y así aportar, tanto al paciente como a la familia, la información necesaria para que puedan organizar su vida, a fin de que el interesado pueda tomar las decisiones (familiares, vitales o patrimoniales) oportunas, que más tarde no podrá tomar. La precocidad del diagnóstico en personas relativamente jóvenes tiene, además, la ventaja de que pueden decidir participar en los ensayos clínicos de los nuevos tratamientos que van apareciendo.

EL IMPACTO SOCIAL DE LA DEMENCIA

5.1. FRECUENCIA

Las enfermedades demenciantes son más frecuentes a partir de los cincuenta años. Antes de esa edad son excepcionales y afectan a menos del 1 % de la población. La frecuencia se incrementa a medida que aumenta la edad. Así, afecta al 5 % de la población de entre sesenta y sesenta y nueve años, al 20 % de entre ochenta y ochenta y nueve, y al 35 % de entre los noventa y noventa y nueve. Todavía no sabemos si la incidencia de la enfermedad se estabiliza a partir de los cien años o bien sigue aumentando. Aun así, en un estudio realizado en 911 personas de más de noventa años, se concluyó que la prevalencia de demencia se duplica cada cinco años en las mujeres pero no entre los hombres.

En todo el mundo se producen 9,9 millones de casos nuevos de demencia cada año, lo que equivale a un caso nuevo cada 3,2 segundos. De estos nuevos casos, el 49 % se da en Asia, el 25 % en Europa, el 18 % en América (norte y sur) y el 0,8 % en África. Se calcula que en el año 2015 padecían demencia 46,8 millones de personas en todo el mundo, y que esta cifra se duplicará cada veinte años, alcanzando los 131,5 millones en 2050. Entre un 14 % y un 18 % de personas mayores de setenta años padecen un deterioro cognitivo leve (DCL) y entre el 10 % y el 15 % de las mismas evolucionará cada año hasta la demencia.

Los estudios epidemiológicos intentan descifrar las causas de la diferente prevalencia de demencia en los diferentes países y regiones. Probablemente no exista un solo factor, sino la confluencia de varios de ellos, lo que explicaría esta variabilidad: diferentes hábitos de vida, la etnia, la expectativa de vida, los sistemas de prevención de factores de riesgo como la diabetes o la hipertensión, la nutrición, el sobrepeso, el sedentarismo y otros. En la India se ha observado una menor prevalencia de demencia en las regiones rurales respecto a los ámbitos urbanos, lo que, al menos en parte, se atribuye al mayor consumo de alimentos como la cebada, el maíz, el trigo o la cúrcuma.

En España, el incremento de la esperanza de vida, que se ha duplicado a lo largo de los últimos cien años, tiene como resultado que el número de personas mayores haya crecido de forma exponencial. En 1900 había un millón de personas con más de sesenta y cinco años. La previsión para 2020 es de ocho millones y medio, de los que cerca de tres millones tendrán más de ochenta y cinco años (gráficos 1 y 2). Son cifras que invitan a la reflexión, cifras significativas que permiten prever un

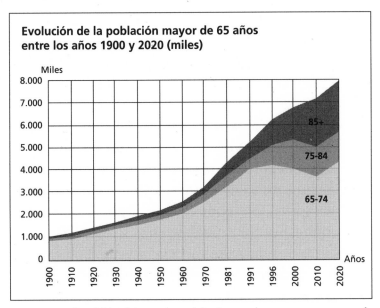

GRÁFICO 1. Previsión del aumento del número de personas mayores de sesenta y cinco años en los próximos años (fuente: INE).

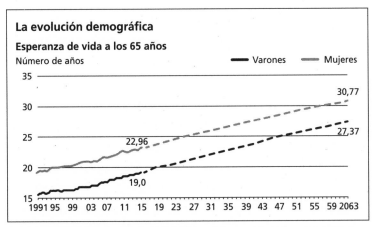

GRÁFICO 2. Previsión del aumento de la esperanza de vida en España hasta 2063 (fuente: INE).

aumento importante de personas con demencia e incapacitación. Es un gran reto para los legisladores y para la administración, pero también para las familias, que tienen que preparar desde la juventud su vejez y la de sus parientes.

Estos gráficos ayudan a comprender el hecho de que el problema asistencial de los pacientes con demencia sea un reto importante para el futuro inmediato. También ilustran acerca del coste económico de estas enfermedades (como se expone en el siguiente apartado) y la magnitud del sector económico que se moviliza, desde los recursos asistenciales hasta la investigación y consecución de patentes, de nuevos tratamientos que curen o al menos palien la demencia.

Por lo que se refiere a la desigual vulnerabilidad por sexo, según se trate de mujeres o de varones, las cifras actuales demuestran que dos tercios de los enfermos son mujeres y un tercio varones. Es más frecuente en mujeres, sin que sepamos por qué. Las teorías que se apoyaban en el descenso de las hormonas femeninas, los estrógenos, con la menopausia, no parecen prosperar. Se ha detectado una variante genética del cromosoma X que parece aumentar las posibilidades de padecer la enfermedad de Alzheimer, por lo que puede constituir un factor de mayor riesgo en las mujeres, ya que tienen dos cromosomas X. Por otro lado, hay que recordar que la esperanza de vida en España es de cuatro años más para las mujeres que para los hombres, lo que comporta que en cifras absolutas también haya más mujeres mayores.

5.2. COSTE DE LA DEMENCIA

Se estima que actualmente en España hay cerca de ochocientas mil personas con diversos grados de enfermedad de Alzheimer, más de la mitad en estado de dependencia. Los costes derivados de la atención a estas personas con enfermedades neurológicas ascienden a 37.000 millones de euros anuales.

Se estima que durante el año 2010 los costes en la Unión Europea derivados de las enfermedades neurológicas sumaron un total de 798.000 millones de euros, de los que 143.000 corresponderían a las enfermedades neurodegenerativas, es decir, casi un 18 %. En la distribución porcentual por enfermedades, el 13,18 % habría correspondido a demencias, principalmente Alzheimer.

En España, el coste total anual por todos los conceptos asociados con las enfermedades neurodegenerativas alcanza los 32.372 millones de euros, lo que supone un 3,11 % sobre el PIB de España, que en 2014 fue de 1.058.469 millones de euros. Las demencias son el problema sanitario que más recursos consume. En España el gasto anual por paciente se estima entre 27.000 y 37.000 euros. El coste comprende por un lado los gastos directos, que podemos cuantificar, como el gasto de las consultas médicas, la medicación, el centro de día o la residencia, y las adaptaciones en la vivienda. Por otro lado, están los gastos indirectos atribuibles al cuidador, que dedica muchas horas de su tiempo, con frecuencia reduce su productividad en el trabajo y también requiere mayor atención médica por la sobrecarga que supone el cuidado del paciente.

El desgaste emocional de la familia es muy grande, ya que observa día tras día cómo se va perdiendo a un ser querido, con el que no se puede comunicar, pero que está presente y requiere mucha atención. Primero lo cuidan en casa, después es necesario y recomendable que asista a un centro de día, para lo que precisa de un medio de transporte adecuado. Más adelante hay que organizar una complicada y costosa logística doméstica para planificar y tener cubiertas las veinticuatro horas del día, o ingresar al enfermo en un centro asistido. Es muy difícil de cuantificar el tiempo de dedicación familiar y, aún más, el coste emocional que conlleva. La administración debería mejorar las ayudas económicas y sociales a estas familias, que a menudo hacen un esfuerzo muy costoso, en el más amplio sentido de la expresión.

6

¿QUÉ ES EL ALZHEIMER?

La enfermedad que con más frecuencia produce demencia fue descrita por primera vez en 1906 por el neurólogo alemán Alois Alzheimer (figura 6), después de haber analizado el cerebro de una mujer, de nombre Auguste D., a quien había asistido y estudiado desde 1901. La enferma había sido llevada a la consulta médica cuando tenía cincuenta y un años debido a un estado de intranquilidad motivado por una crisis de celos relacionada con su marido. Más adelante, sufrió un deterioro cognitivo progresivo, con comportamientos paranoicos: escondía los objetos domésticos, perdió rápidamente la memoria, se extraviaba dentro de su propia casa, se mostraba agresiva, gritaba de forma desconsolada y tenía alucinaciones. Su lenguaje se fue deteriorando y acabó perdiendo la autonomía para el movimiento. Finalmente, se quedó en la cama, hasta entrar en estado vegetativo y morir. Se extrajo el cerebro del cadáver y el doctor Alzheimer lo analizó, descubriendo las lesiones características de la enfermedad que desde 1910 lleva su nombre. Hay que decir que esa paciente forma parte de los casos poco frecuentes por su relativa juventud. Conviene recordar, además, tal como ya se ha comentado, que la enfermedad de Alzheimer es la causante del 60 al 70 % de las demencias.

Como en las otras enfermedades neurodegenerativas que producen demencia, en los últimos años se van conociendo las alteraciones neurobiológicas que tienen lugar en la demencia, pero no se sabe cuál es la causa primera que las desencadena.

6.1. CAMBIOS EN EL TEJIDO CEREBRAL

En la enfermedad de Alzheimer se produce una pérdida de volumen del cerebro, lo que se denomina atrofia cerebral, especialmente en la corteza, como se ilustra en las figuras 5A y 5B. Tras fallecer el enfermo, en los análisis microscópicos del cerebro se observan dos tipos de lesiones características: las placas de amiloide sobre las células y los ovillos neurofibrilares dentro de las células (figura 7).

Estas lesiones están formadas por conglomerados de dos proteínas que tienen una estructura anómala: la proteína beta-amiloide y la proteína tau. En la actualidad, aún no se sabe exactamente por qué se altera su estructura ni por qué se produce su depósito y acúmulo en el cerebro, ni tampoco si el depósito de estas proteínas es realmente la causa principal de la degeneración neuronal. Hasta ahora los tratamientos dirigidos a eliminar la proteína beta-amiloide han fracasado. Sí se sabe que existe una clara predisposición genética, pero probablemente existan también varios factores ambientales que actúan como desencadenantes de la enfermedad.

El hallazgo de determinados virus y bacterias en el cerebro de pacientes con Alzheimer ha alimentado la hipótesis de un agente infeccioso como causante de la enfermedad. También se contempla la posibilidad de que el desencadenante sea un tóxico ambiental o una alteración del sistema inmunitario. Pero aun no conocemos la verdadera causa .

Además del depósito anormal de proteínas, en el cerebro del paciente con Alzheimer se produce un trastorno inflamatorio, ya presente en las fases iniciales de la enfermedad. Esta inflamación de las células cerebrales también está siendo objeto de investigación. La inhibición de la inflamación por inactivación de las células gliales podría reducir la producción de factores que contribuyen a la enfermedad, resultando un hecho beneficioso. Las células de glía constituyen blancos terapéuticos en la investigación de nuevos fármacos destinados a combatir la enfermedad.

Estos cambios patológicos en el cerebro provocan daños en su estructura y en sus funciones. Se dañan especialmente las sinapsis, que son las vías de comunicación entre las neuronas. Se producen también cambios en los neurotransmisores, biomoléculas que transmiten la señal entre las neuronas dentro de la sinapsis. Está demostrada la disminución de la acetilcolina. Recientemente se ha discutido si en los humanos, incluso en edades avanzadas, el cerebro es capaz de generar nuevas células cerebrales, la denominada neurogénesis. De existir esta capacidad, probablemente también se vea afectada en la enfermedad de Alzheimer.

Estos cambios en el cerebro producen la pérdida de la capacidad de aprendizaje, el deterioro cognitivo y las alteraciones de la conducta.

El estudio *post mortem* de las lesiones cerebrales es el único método para garantizar el diagnóstico de Alzheimer en personas que en vida han desarrollado alguna demencia.

Se ha observado que en el estudio microscópico del cerebro de las personas mayores, fallecidas por causas distintas a la demencia, también es frecuente encontrar las lesiones que acabamos de describir, pero en el caso de los cerebros de pacientes con enfermedad de Alzheimer las lesiones son más abundantes y están acompañadas de mayor atrofia cerebral. La atrofia del cerebro parece ser muy determinante.

6.2. GENÉTICA

Los familiares de pacientes con enfermedad de Alzheimer se preguntan con frecuencia qué riesgo corren de heredar la enfermedad. Aunque el factor de riesgo más importante para la EA es el envejecimiento, el segundo factor de riesgo es la historia familiar de enfermedad:

aproximadamente el 40% de los enfermos presenta un antecedente familiar de EA. El riesgo de que un individuo con un familiar de primer grado (progenitor o hermano) enfermo de EA padezca la enfermedad, es de entre dos y tres veces superior al de la población general. Este riesgo es menor si, en el familiar, la enfermedad empezó a una edad avanzada (tras los noventa años), y mayor cuando hay más de un familiar afectado. Los estudios llevados a cabo con gemelos indican que la concordancia de enfermedad en gemelos monocigóticos (proceden del mismo ovocito y comparten el 100% de su genoma) es del 40-50%, mientras que en los mellizos dicigóticos (que solo comparten alrededor del 50% del genoma) baja al 10-50%.

Se han identificado muchos genes asociados a la enfermedad de Alzheimer. En las formas familiares precoces hasta un 60-65% de los casos presentan mutaciones conocidas en sus genes, por lo que son altamente hereditarias, mientras que en las formas tardías su frecuencia es muy inferior. La mutación más estudiada en la enfermedad de Alzheimer tardía se halla en el gen APOE y se conoce como APOE-ε4.

La presencia de este gen aumenta el riesgo de contraer la enfermedad entre dos y cinco veces, en función de si posee una o dos copias (alelos) de la mutación y, además, reduce la edad de aparición en seis o siete años. No obstante, ser portador de esta mutación no es ni suficiente ni imprescindible para desarrollar la enfermedad. Se trata solo de una predisposición.

6.3. EVOLUCIÓN DE LA ENFERMEDAD DE ALZHEIMER

La forma de inicio más frecuente de la enfermedad de Alzheimer es la pérdida progresiva de memoria, que se manifiesta como dificultad para recordar hechos recientes y para fijar nueva información. Por este motivo al enfermo de Alzheimer le resulta difícil, al inicio de la enfermedad, aprender cosas nuevas como el manejo de un aparato electrónico, el móvil o una lavadora con tecnología avanzada. Sin embargo, en la mayoría de actividades rutinarias de la vida diaria los pacientes se desenvuelven con normalidad, pues se trata de actividades que dependen de la memoria a más largo plazo. Es frecuente que tanto el enfermo como el cónyuge no den demasiada importancia a la pérdida de memoria, incluso es posible que manifiesten que todo va muy bien y que hacen la vida de siempre, con miradas de complicidad entre ambos, instalados en una falsa normalidad. Es la alarma de un familiar cercano la que lleva al enfermo a la consulta médica. La conciencia de la enfermedad a menudo no aparece nunca, pues al principio se niega por desconocimiento y más tarde ya no se puede reconocer debido al deterioro cognitivo.

Más adelante se van añadiendo otras carencias y la evolución es la propia de la mayoría de las demencias, tal y como se ha expuesto en el capítulo 4: pérdida del lenguaje; desorientación en el espacio (los enfermos se pierden primero por la calle y después en casa); trastornos de la praxis (capacidad para realizar movimientos intencionales complejos como vestirse o utilizar los cubiertos para comer); pérdida de la capacidad de reconocimiento de las personas conocidas o confusión en la identificación de familiares; falta de reconocimiento de los objetos de la casa; alucinaciones; delirios; agitación; apatía; trastorno del sueño con somnolencia diurna e insomnio e inquietud nocturna; y, algunas veces, crisis epilépticas y síncopes (pérdidas de conciencia por caída de la presión arterial o por trastornos del ritmo cardíaco).

En los últimos años se han descrito nuevas formas de inicio de la enfermedad de Alzheimer, mucho menos frecuentes pero que merece la pena conocer. En una de ellas, la afasia progresiva primaria, el primer síntoma es la alteración de la capacidad de expresión, el lenguaje, que conduce al paciente a no poder emitir palabras, tan solo sonidos sin sentido. En algunos de los pacientes atendidos por los autores, afectados por esta pérdida del lenguaje, hemos observado que se mantiene la capacidad para tocar correctamente un instrumento musical conocido.

En la variante frontal de la EA predomina el inicio con alteraciones de la conducta. Los primeros síntomas pueden consistir en apatía, conductas repetitivas obsesivas, menor interacción social y/o menor respeto de las normas de educación, irritabilidad e incluso un comportamiento agresivo, y abandono de la higiene y del cuidado personal. Una queja frecuente por parte de la pareja es la demanda sexual inapropiada y obsesiva, o los atracones de comida del paciente.

En otra variante, la atrofia cortical posterior, los primeros síntomas suelen ser las alteraciones visuales, pues se afectan inicialmente las regiones cerebrales implicadas en la percepción visual. El paciente no percibe correctamente la situación de los objetos en el espacio y le resulta difícil percibir simultáneamente varios objetos de su entorno. Debido a ello, tiene tendencia a golpearse con los marcos de las puertas, no sabe ubicar su firma en un documento o seguir la línea cuando lee, o no acierta a verter el agua en el interior de un vaso, derramándola.

En las pruebas de neuroimagen se puede apreciar una mayor atrofia del cerebro en las regiones afectadas en cada caso (frontal-anterior y occipital-posterior), así como una menor actividad metabólica. Estas formas de inicio focal también evolucionan inexorablemente hacia la demencia, afectando en fases más tardías a otras funciones mentales, como la memoria.

Además de la enfermedad de Alzheimer clásica, llamada esporádica, existe una forma de enfermedad de Alzheimer familiar. Las dos características principales que la diferencian de la esporádica son que se inicia a una edad bastante más temprana (alrededor de los cincuenta años) y que es una variante marcadamente hereditaria. Se han descrito diferentes mutaciones genéticas y cada una de ellas define algunas características de la enfermedad. La más conocida es la provocada por la mutación del gen de la presenilina 1, cuyos pacientes sufren un comienzo muy precoz, entre los treinta y cinco y los cincuenta y cinco años. Cuando acuden a la consulta ya sospechan el diagnóstico, pues rápidamente explican que el padre y el abuelo habían sufrido la misma enfermedad. En otros casos se producen alteraciones de la conducta. Se trata de personas que, además de los antecedentes familiares, ya presentan conductas anómalas anteriores, con obsesiones y dificultad para las relaciones sociales (por regla general no tienen pareja), y que a partir de cierto momento tienen conductas aberrantes, que pueden llamar la atención pública e incluso ser motivo de actuaciones policiales. Aunque en general se considera que las formas familiares son más agresivas y rápidas en su evolución, se han descrito supervivencias largas, entre otros motivos porque afectan a personas jóvenes que debido a la edad sufren menos enfermedades crónicas. La EA familiar también puede iniciarse con problemas de pérdida de memoria y luego evolucionar como la EA esporádica. En algunos casos existen mutaciones que favorecen la presentación de alteraciones del lenguaje.

Otra característica propia de las demencias por EA es que pueden acompañarse de otros síntomas neurológicos no cognitivos, como una paraparesia espástica, que consiste en una parálisis y rigidez de las piernas que altera la deambulación. En otras ocasiones aparecen síntomas parkinsonianos (con rigidez e inestabilidad), o incluso trastornos de la marcha y la coordinación por afectación del cerebelo. Las sacudidas musculares, o mioclonías, que pueden acompañar a la EA en fases avanzadas de la forma esporádica, son más frecuentes y precoces en la forma familiar, así como también las crisis epilépticas.

En general, la velocidad de progresión de la EA es bastante variable de una persona a otra, porque además de los factores genéticos y otros factores aún desconocidos, influyen diferentes aspectos y características de la persona afectada, además de la calidad de los cuidados, tanto físicos como emocionales, que recibe por parte de su familia y cuidadores. Por otra parte, la formación, la educación y la actividad intelectual previas del paciente son factores que influyen claramente en la evolución, así como también la práctica de ejercicio, la alimentación, el estado de ánimo y la actitud ante la vida. Recientemente varias publicaciones han puesto énfasis en la importancia de la biografía anterior del paciente, de su personalidad y sus hábitos, que llegan a caracterizar una forma de enfermedad propia para cada enfermo, con ciertas diferencias que configuran unos síntomas personalizados en función de la forma de ser y la personalidad, como ha puesto de manifiesto el estudio de las monjas al que nos referiremos más adelante.

El diagnóstico de sospecha de enfermedad de Alzheimer se basa fundamentalmente en la presencia de un cuadro sintomático como el descrito anteriormente, junto con la evaluación neuropsicológica que se presenta en el apartado 9.1. El diagnóstico se apoya en diferentes exploraciones complementarias, como el PET o el estudio de líquido cefalorraquídeo, tal como se explica en el capítulo mencionado. El diagnóstico de certeza nos los dará el estudio del cerebro *post mortem*. En los países donde es habitual practicar la autopsia a los difuntos, como en Estados Unidos, se ha comprobado que una gran parte de las personas mayores de setenta años tienen en su cerebro lesiones típicas de Alzheimer, si bien la mayoría no han desarrollado una demencia. Esto demuestra que existen más factores, aún desconocidos, que provocan la aparición de la demencia.

7

LAS OTRAS DEMENCIAS

A nivel popular se conoce como Alzheimer tanto a esta enfermedad como a otras demencias, entre las que cabe mencionar la demencia frontotemporal, la demencia con cuerpos de Lewy, la demencia por enfermedad de Parkinson, la demencia vascular o la demencia por hidrocefalia crónica del adulto. Pero son enfermedades distintas a la de Alzheimer, por más que los síntomas se parezcan.

La **demencia frontotemporal** (DFT) es la tercera causa más frecuente de demencia en los mayores de sesenta y cinco años, y la segunda en los menores de esta edad. Comprende diferentes formas clínicas, pero todas se caracterizan por presentar atrofia cerebral que afecta principalmente a los lóbulos frontal y temporal, es decir, a las partes anterior y lateral del cerebro. Fue descrita en 1892 por el neurólogo alemán Arnold Pick.

A diferencia de la enfermedad de Alzheimer, afecta más a los hombres que a las mujeres, y la mayoría de los pacientes son un poco más jóvenes. De acuerdo con los síntomas, se aceptan dos variantes básicas: la forma en que domina la alteración de la conducta y la forma con trastorno del lenguaje.

En la forma conductual, la atrofia frontal tiene como consecuencia el predominio de los trastornos del comportamiento, con pérdida de la capacidad autocrítica, de la empatía, de las habilidades sociales y de la responsabilidad personal. Se producen negligencia de la higiene, descuido en el vestir, desinhibición, aislamiento social, bromas infantiles, ausencia de conversación espontánea y, más adelante, alteraciones en la locución y articulación de las palabras, apatía, ansiedad y a menudo también trastornos motrices, con rigidez y alteraciones en el gesto. En los primeros años de la enfermedad llama la atención que haya poca afectación de la memoria, y se conserva la orientación en el tiempo y en el espacio. Es frecuente que la primera consulta sea al psiquiatra por trastornos de conducta, por una irascibilidad que puede llegar a la agresividad. En otras ocasiones el paciente abandona sin motivo su trabajo, malgasta el dinero o tiene comportamientos obsesivos. El enfermo no es consciente de estos cambios y no los reconoce como anormales. En ocasiones, se trata de personas que han tenido problemas con la policía por alterar el orden con exhibiciones sexuales (pérdida del código moral). En otras, llama la atención la pérdida de las buenas maneras en la mesa: cogen la comida con las manos, con glotonería, ensuciándose la cara y la ropa. Puede suceder que cuando consultan al neurólogo ya hayan destruido su vida, que hayan perdido el trabajo, la fami-

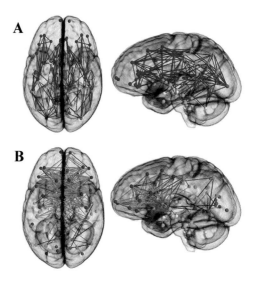

FIGURA 1. Diferencias observables en las conexiones cerebrales según el sexo. A: cerebro masculino con predominio de conexiones intrahemisféricas. B: cerebro femenino con predominio de conexiones interhemisféricas. Imagen obtenida de «Sex differences in the structural connectome of the human brain», *Proceedings of the National Academy of Sciences of the United States of America*, 14, n° 111, enero de 2014.

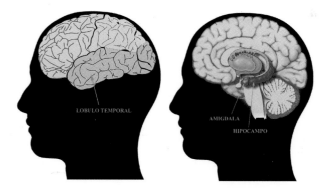

FIGURA 2. A la izquierda, el lóbulo temporal; a la derecha, el sistema límbico, con la amígdala y el hipocampo.

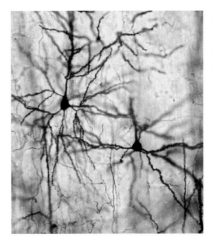

FIGURA 3A. Neuronas humanas de la corteza cerebral teñidas según el método de impregnación argéntica de Golgi.

FIGURA 3B. Esquema de sinapsis: los terminales de neurona (axónico y dendrita), alrededor las células gliales (astrocito) y, en puntos verdes, los neurotransmisores.

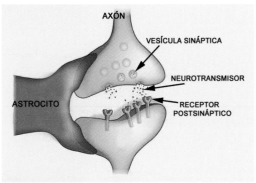

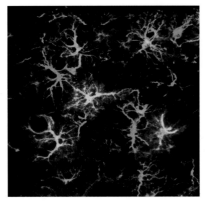

FIGURA 3C. Células gliales (del archivo de Laia Acarín).

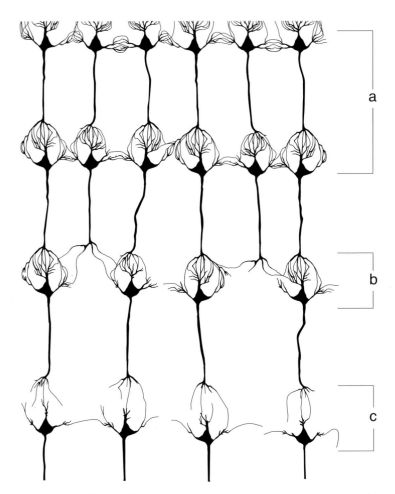

FIGURA 4. Arriba, en el sector «a», se ven neuronas que contactan con las de abajo. En el envejecimiento sin enfermedad (sector «b»), se observa que, a pesar de la pérdida de algunas neuronas, se mantienen las conexiones con las neuronas superiores mediante un esfuerzo de ramificaciones de las neuronas supervivientes que compensa a las neuronas que faltan. En «c» se representa el envejecimiento con Alzheimer. Las neuronas supervivientes han perdido la capacidad plástica que les permitiría compensar a las neuronas muertas. En consecuencia, quedan neuronas aisladas, sin posible contacto con otras. Imagen procedente de *El cerebro del rey*, de N. Acarín, RBA, Barcelona, 2015.

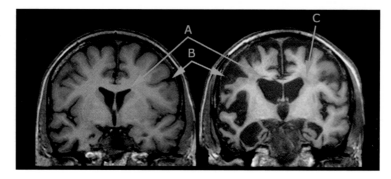

FIGURA 5A. Resonancia magnética del cerebro de una persona joven (izquierda) y de una persona anciana (derecha). En la imagen de la derecha se aprecian signos de envejecimiento cerebral. A: aumento del tamaño de los ventrículos cerebrales; B: atrofia con adelgazamiento de la corteza cerebral (aumenta el espacio entre la corteza y el hueso craneal), y C: disminución de la densidad de la sustancia blanca.

FIGURA 5B. Arriba (A), comparación del cerebro de una persona sana (cerebro de la izquierda) con el de un enfermo de Alzheimer (cerebro de la derecha). Abajo (B), corte coronal de ambos cerebros.

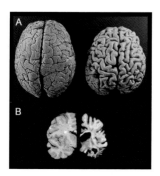

FIGURA 6. Retrato del psiquiatra y neurólogo alemán Alois Alzheimer (1864-1915), descubridor de la enfermedad que lleva su nombre.

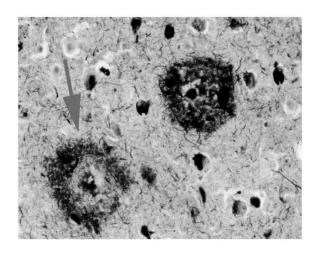

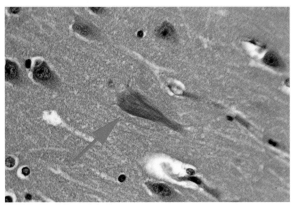

FIGURA 7. Secciones de cerebro de un paciente con EA observadas al microscopio. Arriba, placa amiloide: sustancia amiloide junto a fragmentos de neuronas degeneradas, moléculas inflamatorias y otras proteínas. Abajo, ovillo neurofibrilar: filamentos helicoidales intraneuronales compuestos principalmente por proteína tau fosforilada.

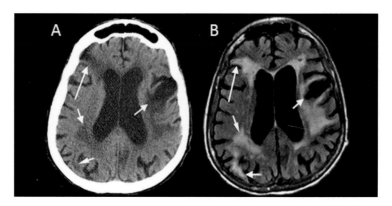

FIGURA 8. Infartos cerebrales crónicos (marcados con flechas). A: TAC craneal en el que los infartos se distinguen como áreas menos densas que el resto del tejido cerebral; B: resonancia magnética cerebral en la que se distinguen como áreas hiperintensas.

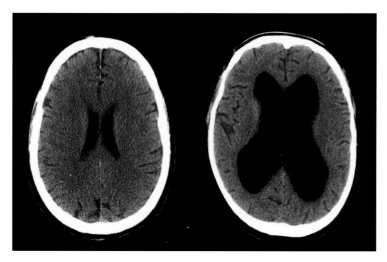

FIGURA 9. Imagen del cerebro por TAC craneal. A la izquierda, un cerebro normal; a la derecha, hidrocefalia crónica; se observa la gran dilatación de los ventrículos cerebrales, que contienen líquido cefalorraquídeo.

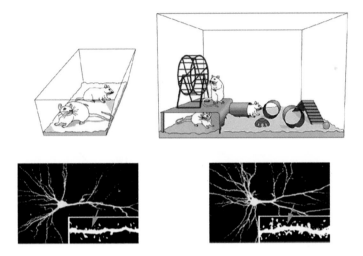

FIGURA 10. Experimentación mediante el enriquecimiento ambiental. En las imágenes superiores, a la izquierda, privación de estímulos; a la derecha, jaula con múltiples artilugios que estimulan física y cognitivamente a los ratones de laboratorio (imagen procedente de Döbrössy, M. D. y Dunnett, S. B., «The influence of environment and experience on neural grafts», *Nature Reviews Neuroscience* 2, nº 12, diciembre de 2001. En las imágenes inferiores, neuronas de la corteza cerebral de ratones; a la izquierda, neurona procedente de un ratón criado en un entorno estándar, sin estímulos; a la derecha, neurona de un ratón criado en un ambiente enriquecido en la que se observa el aumento de prolongaciones (dendritas) que ha sufrido la neurona, lo que le permitirá mayor interconexión con otras neuronas (imagen procedente de Johansson, B. B. y Belichenko, P. V. J., «Neuronal plasticity and dendritic spines: effect of environmental enrichment on intact and postischemic rat brain», *Journal of Cerebral Blood Flow & Metabolism*, 22, nº 1, enero de 2002.

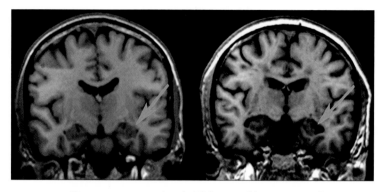

FIGURA 11. Examen comparativo de RM craneal (corte coronal) entre una persona sana y un paciente con EA. A la izquierda, imagen en una persona sana, a la derecha, imagen en un paciente con EA, en la que se observa la atrofia global del cerebro, evidente sobre todo en el hipocampo (flecha).

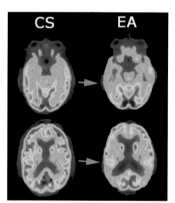

FIGURA 12. Tomografía por emisión de positrones (PET) con fluorodesoxiglucosa. CS: control sano; EA: enfermedad de Alzheimer. Se observa una reducción del metabolismo de la glucosa en las regiones temporales (imagen superior) y en las regiones parietales (imagen inferior).

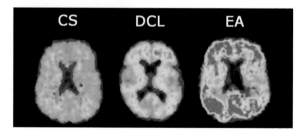

FIGURA 13. Tomografía por emisión de positrones con componente PIB (PET-PIB). CS: control sano; DCL: deterioro cognitivo leve: EA: enfermedad de Alzheimer. Obsérvese cómo en el control sano no hay captación de PIB y el paciente con EA presenta la máxima captación.

lia, y el patrimonio. Algunos vagabundos asociales son personas con esta enfermedad.

En la variante con trastorno del lenguaje la sintomatología predominante es la dificultad para la expresión verbal, con problemas para encontrar las palabras pertinentes y alteraciones gramaticales. El lenguaje y la conversación son cada vez más pobres, hasta que la comunicación resulta imposible.

Con el tiempo, los enfermos se vuelven más apáticos y abúlicos. Sin capacidad para tomar decisiones, derivan lentamente hacia el mutismo y quietismo. Se quedan en la cama y no quieren hacer nada durante horas. Finalmente, sufren trastornos del equilibrio, de la movilidad y del control de los esfínteres, entrando en un estado de demencia avanzada.

En el estudio biológico del cerebro, además de atrofia frontal y temporal se observan unas neuronas globosas y pálidas, tal como lo describió Pick. Esta demencia, al igual que la EA, se caracteriza por el depósito de proteínas anormales que se agregan formando conglomerados. Destacan la proteína tau fosforilada, la proteína fijadora del ADN TAR-43 (DLFT-TDP) y la proteína de fusión en sarcoma (DLFT-FUS). Actualmente ya se tiende a clasificar estas demencias por el tipo de proteína que se deposita en el cerebro.

En la DFT existe una marcada tendencia hereditaria y hasta el 40 % de los pacientes tienen antecedentes familiares. Poco a poco se van descubriendo nuevas mutaciones genéticas asociadas a la enfermedad.

La **demencia con cuerpos de Lewy** es una enfermedad con cierto parecido a la enfermedad de Parkinson. En ella el deterioro cognitivo es el primer síntoma al que simultáneamente, o en el curso del primer año, se añaden dificultades motrices. En la enfermedad de Parkinson, en cambio, primero aparecen las dificultades motrices y al cabo de los años se añade la demencia, aunque no en todos los enfermos. Ambas enfermedades presentan las mismas lesiones cerebrales: neuritas distróficas y cuerpos de Lewy, así llamados en referencia a Friedrich H. Lewy, el patólogo alemán que las describió en 1912 en el laboratorio del Alois Alzheimer. Los cuerpos de Lewy son depósitos intraneuronales de proteínas anormales, destacando la alfa-sinucleína.

La demencia con cuerpos de Lewy se inicia en edades más avanzadas, después de los setenta años, con más alteración de la atención y la concentración que de la memoria. Es muy característico que la situación clínica del enfermo sea muy oscilante. Puede pasar horas, y más adelante días, ausente, sin hablar, y repentinamente hacer un comentario sensato en la conversación que sus familiares mantienen a su alrededor. Son muy típicas de la enfermedad, desde el comienzo, las alucinaciones visuales, que pueden consistir en ver desde niños o personas pequeñas y agradables hasta imágenes repulsivas o intimidantes. En otros momentos aparecen trastornos del pensamiento y el paciente puede interpretar que hay extraños en la casa, que le están persiguiendo o que su pareja es una impostora. Se van añadiendo síntomas motores: lentitud, rigidez muscular y alteración del equilibrio, por lo que las caídas son frecuentes y el enfermo pierde autonomía de forma precoz. Este es un rasgo importante en la diferencia sintomática entre demencia con cuerpos de Lewy y Alzheimer. En estos enfermos existe una alteración del sistema nervioso vegetativo o autónomo (que controla el funcionamiento del corazón, la presión arterial y la actividad visceral), por lo que se pueden producir caídas de la presión arterial y síncopes (pérdida súbita de la conciencia) por alteración del ritmo cardíaco.

La **enfermedad de Parkinson** fue descrita por el médico inglés James Parkinson en 1817 como una «parálisis agitante», con temblores, alteración postural y del caminar, inestabilidad y rigidez muscular. En 1861, el neurólogo francés Jean-Martin Charcot advirtió que, en la enfermedad de Parkinson, algunos enfermos sufrían alteraciones mentales al cabo de unos años. Hoy sabemos que afecta a tres circuitos cerebrales distintos y complementarios: motriz, emocional y cognitivo. La alteración motriz se caracteriza por hipocinesia (hipoactividad motriz, disminución de la movilidad espontánea, de la mímica facial), rigidez muscular, dificultad para mantener la postura erguida, inestabilidad al andar y también temblores en un tercio de los enfermos. La afectación del circuito emocional produce cierta labilidad del estado de ánimo, con lentitud mental y dificultades para el control de los impulsos o de los deseos, lo que da a los enfermos la apariencia de personas caprichosas, además de propiciar una personalidad obsesiva, con cierta rigidez moral. Estos dos aspectos aparecen en los enfermos de Parkinson desde el inicio de la sintomatología. A veces, la disfunción emocional es muy anterior incluso al inicio de los trastornos motrices, configurando la peculiar personalidad del enfermo desde muchos años atrás. El tercer circuito afectado por las lesiones cerebrales produce el deterioro cognitivo, que aparece en las fases avanzadas de la enfermedad.

La demencia por enfermedad de Parkinson es fácilmente identificable, ya que el paciente sufre durante muchos años los trastornos motrices característicos antes de la aparición del deterioro cognitivo. De todas formas, algunos pacientes desarrollan la demencia con las lesiones típicas del Alzheimer en la fase final. Una vez más, hay que realizar el estudio *post mortem* del cerebro para obtener la seguridad diagnóstica.

La **demencia vascular** es el deterioro cognitivo que se produce en personas que han sufrido infartos cerebrales o ictus. A veces los infartos son prácticamente silentes (no provocan parálisis ni ningún otro síntoma evidente), sin manifestación aguda, por lo que pueden pasar desapercibidos para el paciente, pero la suma de las pequeñas lesiones vasculares repetidas genera un progresivo deterioro cognitivo (figura 8). El neurólogo Vladimir Hachinski, pionero en el ictus y la demencia vascular, acuñó el término «demencia multinfarto» y describió una escala, que lleva su nombre, para diagnosticar este tipo de demencia y así poder diferenciarla de la demencia degenerativa.

La causa de esta demencia radica en las lesiones cerebrales producidas por la falta de aporte sanguíneo (isquemia) y de oxígeno (hipoxia) a consecuencia de la obstrucción de las arterias cerebrales, o por el vertido de sangre en el cerebro cuando se producen lesiones hemorrágicas.

Escala de Hachinski		
	Presente	Ausente
Comienzo brusco	2	0
Deterioro escalonado	1	0
Curso fluctuante	2	0
Desorientación nocturna	1	0
Preservación relativa de la personalidad	1	0
Depresión	1	0
Síntomas o quejas somáticas	1	0
Labilidad emocional	1	0
Historia de hipertensión arterial	1	0
Historia de ictus previos	2	0
Evidencia de aterosclerosis asociada	1	0
Síntomas neurológicos focales	2	0
Signos neurológicos focales	2	0
< 4 puntos: Probable demencia degenerativa primaria 4-7 puntos: Dudoso > 7 puntos: Probable demencia vascular		

Los factores que provocan aterosclerosis y degeneración de las arterias, llamados factores de riesgo vascular, son bien conocidos, y su tratamiento disminuye la progresión de la demencia. Los más importantes son los siguientes:

- Hipertensión arterial.
- Diabetes.
- Colesterol alto.
- Obesidad.
- Sedentarismo.
- Tabaquismo.
- Alcoholismo.

Otros factores menos conocidos que también pueden repercutir en la salud arterial son los niveles bajos de vitamina B12 en el organismo, que aumentan en la sangre la homocisteína, un aminoácido que favorece la aterosclerosis y la trombosis arterial.

Cabe destacar que muchos pacientes con demencia vascular suman en su cerebro las lesiones típicas de enfermedad de Alzheimer a otras lesiones vasculares. Es bien sabido que los factores de riesgo vascular aumentan el riesgo de EA. La frontera entre ambas enfermedades no resulta fácil de establecer, especialmente en las etapas avanzadas. Puede considerarse que a la demencia tipo EA se puede llegar de dos formas: o bien se inicia primariamente por un proceso degenerativo de las neuronas (cuyo origen no conocemos) o la destrucción neuronal llega a consecuencia del escaso aporte de oxígeno al cerebro a lo largo de algunos años.

La demencia vascular puede ser de inicio brusco, después de un ictus, y de progresión rápida, o de evolución más lenta, siguiendo el cuadro sintomático general de la demencia descrita en el apartado 4.5. Cuando la falta de oxígeno en el cerebro afecta a la sustancia blanca, formada por las fibras que vienen o van hacia las neuronas de la corteza cerebral, se puede producir un deterioro cognitivo conocido como encefalopatía subcortical de Binswanger (en referencia al neurólogo alemán Otto Binswanger, quien la describió en 1894). En este caso se combina el trastorno cognitivo (alteración de memoria, lenguaje y apatía), con un grave trastorno del equilibrio y de la marcha.

Algunas enfermedades vasculares tienen también un claro origen familiar, aunque son muy poco frecuentes. La más conocida se llama CADASIL (por el acrónimo en inglés de arteriopatía cerebral autosómica dominante con infartos subcorticales y leucoencefalopatía), en la que infartos cerebrales repetidos conducen a la demencia. Suele comenzar antes de los cincuenta años, es frecuente el antecedente de migraña y se transmite al 50 % de la descendencia.

La **hidrocefalia crónica** del adulto es la causa más común de demencia entre las enfermedades que no son neurodegenerativas, y puede suponer hasta el 5 % de las demencias. Esta demencia, a pesar de que también se la denomina hidrocefalia normotensiva o a presión normal, es consecuencia de un aumento de la presión del líquido cefalorraquídeo (LCR) en los ventrículos o cavidades del interior del cerebro (figura 9). La causa del aumento de la presión del LCR es todavía motivo de controversia. En algunos casos aparece como secuela tardía de una hemorragia cerebral, de traumatismos craneales, meningitis, malformaciones cerebrales congénitas o tumores cerebrales, pero en la mayoría de casos no se llega a demostrar la causa. En general, los síntomas comienzan con inestabilidad y trastorno al caminar, porque el paciente tiene dificultad para avanzar los pies, que parecen quedarse pegados al suelo, a lo que se añade pérdida de control de los esfínteres. Más adelante aparecen los síntomas del deterioro cognitivo: apatía, falta de atención y pérdida de memoria. El diagnóstico se confirma por resonancia magnética craneal, que muestra la gran dilatación de los ventrículos cerebrales. Si es necesario, mediante una pequeña intervención se coloca un sensor en la superficie del cerebro para efectuar una medición de la presión intracraneal del líquido cefalorraquídeo.

Si el diagnóstico es precoz se puede tratar mediante la implantación quirúrgica de un catéter, que desciende (por debajo de la piel) desde los ventrículos cerebrales hasta la cavidad del abdomen, drenando así el exceso de LCR de los ventrículos. En personas de edad avanzada y de larga evolución los resultados del tratamiento no son siempre satisfactorios, ya que el cerebro puede haber quedado lesionado antes de emitir el diagnóstico y practicar la intervención.

Una enfermedad que puede incluirse entre las neurodegenerativas, pero que está a caballo entre estas y las infecciosas, es la **enfermedad de Creutzfeldt-Jakob** (ECJ). Como la EA o la DFT, se asocia a la presencia de una proteína anormal, en este caso la proteína priónica, que forma depósitos en el cerebro. Esta proteína tiene la capacidad de autorreplicarse, lo que significa que su presencia en el cerebro induce la formación de nuevas proteínas priónicas. La enfermedad produce también en las neuronas la formación de unas vacuolas o burbujas que dan al cerebro, observado al microscopio, un aspecto de esponja, por lo que la ECJ es denominada también encefalopatía espongiforme. La proteína priónica posee capacidad infectiva. Experimentalmente, se ha logrado transmitir a diferentes especies animales y también se ha comprobado el contagio entre humanos. La principal característica clínica que la diferencia de las otras demencias degenerativas es su agresividad clínica, ya que los síntomas avanzan de forma muy rápida y llevan a la muerte, en general antes del año tras el inicio de la enfermedad, a menudo en pocos meses. Existen cuatro tipos: la forma esporádica, la forma hereditaria, la forma por contaminación iatrogénica y la variante de origen bovino.

La forma esporádica, es decir no hereditaria —cuyo mecanismo de adquisición es todavía desconocido—, es la más frecuente, afecta a una de cada millón de personas y constituye aproximadamente el 80 % de todos los casos de ECJ. Suele afectar a individuos mayores de sesenta años. En su presentación más típica el paciente tiene aspecto deprimido o presenta cambios bruscos de humor, está apático, pierde la atención y el interés por su entorno, abandonando sus relaciones sociales. Rápidamente desarrolla una demencia asociada a otros síntomas neurológicos como inseguridad al caminar, con falta de coordinación del movimiento, por afectación del cerebelo. Pronto llama la atención la dificultad para el lenguaje, para articular las palabras, junto a pérdidas de léxico. Aparecen más adelante problemas visuales, alucinaciones, rigidez y movimientos bruscos de partes del cuerpo (mioclonías), así como problemas para deglutir. En la fase final el paciente es incapaz de hablar y de moverse hasta que se produce su fallecimiento, habitualmente al cabo de escasos meses del inicio. En ocasiones el cuadro comienza con la inestabilidad en el caminar, y más tarde se añaden los problemas cognitivos.

Los casos por contaminación iatrogénica se producen por la transmisión accidental a través de equipos quirúrgicos contaminados o como resultado de trasplantes de córnea o de las meninges (duramadre), o de la administración de la hormona del crecimiento obtenida de la glándula pituitaria de donantes humanos fallecidos; representan menos del 5 % de los casos de ECJ. En la actualidad la hormona que se administra es sintética, así como la duramadre, por lo que no proceden de un donante.

La forma variante de la ECJ (vECJ) tuvo mucha difusión mediática en la década de los años noventa debido a su relación con la epidemia de encefalopatía espongiforme bovina (EBB), conocida como enfermedad de las vacas locas. Esta enfermedad fue descrita por primera vez en el Reino Unido en marzo de 1996, cuando se comunicó la encefalopatía de once jóvenes ingleses que habían estado en contacto con diferentes hatos bovinos del mismo país. La transmisión de la vECJ se produce por vía digestiva, por el consumo de materiales específicos de riesgo (MER), que son aquellos órganos o tejidos que por su infectividad comprobada se consideran fuente de transmisión del prión. Los MER mejor comprobados hasta el momento son: encéfalo, ojos, médula espinal, ganglio y nervio trigémino, ganglios raquídeos, amígdalas, íleon, bazo, hueso (cráneo y columna vertebral principalmente) de origen bovino, ovino o caprino de cualquier edad, provenientes de los países que registren casos autóctonos de la EEB.

En la actualidad todavía se siguen diagnosticando algunos casos de vECJ en diferentes países, entre ellos España. La variante de la enfermedad de Creutzfeldt-Jakob afecta a personas muy jóvenes, de alrededor de veintiocho años, suele iniciarse con síntomas psiquiátricos y sensitivos (hormigueos y dolores) y tiene una duración algo mayor que la forma esporádica, de alrededor de un año. Se trata de casos clínicos que no se le olvidan jamás al neurólogo que los diagnostica, por su carácter tan agresivo y dramático.

Existen muchas otras causas de demencia de origen no degenerativo, entre las que se cuentan las siguientes:

- Anoxia cerebral por paro cardíaco.
- Traumatismo craneal.
- Alcoholismo.
- Enfermedades de la glándula tiroides.
- Falta de vitamina B12.
- Tumores cerebrales, benignos o malignos.
- Efecto adverso de la radioterapia sobre el cráneo.
- Enfermedades inflamatorias del cerebro, como las encefalitis.
- Trastornos metabólicos.
- Deshidratación en los ancianos.

PREVENCIÓN

8.1. EL ESTUDIO DE LAS MONJAS

En Estados Unidos existe una orden religiosa femenina, la Congregación de Nôtre Dame, dedicada a la enseñanza. En 1990 suscribió un acuerdo con un programa de investigación neurológica mediante el cual, en el momento de la muerte, las monjas donaban sus cerebros a fin de que pudieran ser analizados. El estudio comprende un historial detallado de la actividad y de las capacidades cognitivas de las monjas difuntas, desde sus trabajos durante el noviciado hasta una serie de exámenes neuropsicológicos que se les practican cada año a lo largo de toda su vida. Toda esta información se correlaciona después con los hallazgos patológicos de sus cerebros. Algunas monjas habían continuado activas en la enseñanza hasta los ochenta años, conservando un buen rendimiento cognitivo hasta edades avanzadas.

En los resultados publicados destaca el hecho de que las defunciones se produjeron en torno a los noventa años. Dos tercios de los casos analizados tenían lesiones típicas de Alzheimer en el cerebro, pero solo la mitad había sufrido deficiencias cognitivas. Los cerebros de las monjas con deterioro cognitivo eran los que tenían más atrofia cerebral, o sea mayor pérdida de volumen. Una conclusión del estudio es que las monjas que no presentaban deterioro cognitivo habían activado la capacidad neuroplástica porque habían realizado mucha estimulación cognitiva, de tal forma que las neuronas habían establecido mayor número de sinapsis o conexiones, por lo que eran capaces de sustituir a las neuronas degeneradas. Otra conclusión del estudio fue que las monjas con mayor habilidad lingüística en su juventud (que redactaban mejor los informes o que disponían de un rico vocabulario y una buena sintaxis) tenían menos riesgo de desarrollar la enfermedad de Alzheimer en el futuro.

Por otro lado, el estudio también descubrió, a través de la lectura de sus autobiografías, que las monjas que habían vivido con una actitud cordial, animosa, acumulando emociones positivas a lo largo de su vida, eran más longevas sin aparición de demencia. En cambio, las que presentaban personalidades negativas y amargadas eran más proclives a la demencia en la edad avanzada. Estos hallazgos concuerdan con los resultados de otros estudios que demuestran la influencia del estrés en el envejecimiento y en la esperanza de vida.

En nuestro país, la estimulación cognitiva inherente a la actividad laboral se reduce drásticamente hacia los sesenta y tres años, la edad media de jubilación. Por otro lado, en España se ha constatado un grave fracaso en el aprendizaje escolar a lo largo de la adolescencia. En efecto, los chicos y chicas que acaban la enseñanza obligatoria tienen un lenguaje pobre, carecen de hábitos de lectura y todavía menos de escritura. La jubilación precoz y el fracaso escolar constituyen factores que pueden influir en el futuro, haciendo que la población sea más vulnerable frente al Alzheimer.

El estudio de las monjas demostró, en definitiva, que diversos factores que influyen en el riesgo de padecer demencia pueden ser modificados por nuestra conducta y nuestras actitudes. Mantener estimulado el cerebro y cuidar la salud de nuestras arterias, que son las que aportan nutrientes y oxígeno al cerebro, son aspectos que están en gran parte en nuestras manos.

8.2. RESERVA COGNITIVA

El cerebro posee una gran plasticidad, es decir que es capaz de modificar su estructura y sus funciones para adaptarse a los cambios del entorno. Si el entorno de un individuo ha sido estimulante, tanto intelectual como físicamente, se ha creado una importante reserva cognitiva, a partir de la formación de una red neuronal más eficaz que permitirá compensar durante un tiempo más prolongado el deterioro causado por el envejecimiento y la demencia. Un experimento que lo pone en evidencia es el estudio comparativo del cerebro de ratones criados en jaulas con artilugios de diferentes formas y colores, que les estimulan a explorar y moverse, y el de ratones criados en jaulas sin estímulos (figura 10). Se ha comprobado una mayor neurogénesis, es decir una mayor formación de nuevas neuronas, con un número mayor de ramificaciones y sinapsis, en los ratones estimulados (figura 10). Este hallazgo explica que existan muchos casos de personas que han mantenido la estimulación mental hasta su fallecimiento sin experimentar síntomas de demencia, y cuyo cerebro presenta importantes cambios patológicos de tipo Alzheimer, como se demostró en el estudio de las monjas. Es una confirmación de la importancia de la estimulación cognitiva como medida de prevención.

Las personas con un nivel educativo más alto tienen un riesgo de hasta un 40 % menor de padecer demencia. Tener una ocupación laboral con mayor exigencia cognitiva también parece reducir el riesgo. En general, parece que una elevada reserva cognitiva puede reducir el riesgo de demencia hasta en un 50 %.

Por ello es bueno que, después de la jubilación, se mantengan los compromisos y las responsabilidades en alguna tarea, como puede ser el voluntariado en alguna entidad sin ánimo de lucro, ya que así se combina la responsabilidad del trabajo con la satisfacción personal que supone llevar a cabo una labor útil a los demás.

La actividad mental puede ser estimulada con independencia del nivel cultural, si bien son muy recomendables la lectura y la escritura. Estudios recientes demuestran que las personas que leen tres horas al día tienen menor riesgo de sufrir una demencia, y que incluso tienen una esperanza de vida de dos años más que las que no leen. Otros estudios añaden que la efectividad de la lectura aumenta cuando tras haber leído un texto se comenta con otra persona, ya que el esfuerzo mental ha de ser superior para poder explicar y discutir lo que se ha leído.

Una buena iniciativa es la de escribir la propia biografía, una actividad que ayuda a ordenar los recuerdos y a hacer un esfuerzo de evocación. Además, a las personas mayores les resulta muy estimulante comentar con familiares, como los nietos, la experiencia de su vida. Contra lo que muchos creen, en general, los nietos también muestran un gran interés. Es recomendable esforzarse en la correcta utilización del lenguaje, y si es necesario conviene recurrir a la gramática o al diccionario para expresarse con propiedad. Como hemos podido comprobar en el estudio de las monjas, las personas con mayores recursos lingüísticos experimentan un riesgo menor de desarrollar una demencia. Resulta una muy buena idea aprovechar los cursos de idiomas que se organizan para la gente mayor. En este caso es bueno que el esfuerzo de aprendizaje o perfeccionamiento de un idioma extranjero tenga luego un premio, como un viaje con amigos al país donde se habla el idioma que se ha estudiado.

También son útiles actividades como los crucigramas, los juegos de mesa como el ajedrez, el dominó o los juegos de cartas, y las tertulias sociales; todas ellas son ejercicios que reducen las posibilidades de deterioro cognitivo. El aprendizaje y la utilización de los recursos informáticos constituyen también un buen estímulo mental contra la demencia. Resulta beneficioso buscar información en Internet, comunicarse con amigos y familiares mediante correos electrónicos o utilizar programas y aplicaciones fotográficas para crear un buen archivo personal.

La música es una buena actividad preventiva de la demencia, especialmente cuando se toca un instrumento. Su peculiaridad radica en que implica múltiples funciones cerebrales de forma simultánea: la percepción sensorial (visual y auditiva), la interpretación de la partitura (lenguaje musical), la utilización de ambas manos y la ejecución de movimientos precisos, el retorno al cerebro de la música creada mediante el oído y la corrección de errores. Es una de las mejores gimnasias mentales existentes a la hora de estimular la plasticidad cerebral aumentando las conexiones entre las neuronas.

Se ha comprobado que las personas ansiosas son más vulnerables al estrés y corren un riesgo mayor de sufrir una demencia, lo mismo que las que presentan tendencia a la amargura (ya citada a propósito del estudio de las monjas). De igual manera, las personas con tendencia a la depresión o que se lamentan sin parar se arriesgan más a padecer Alzheimer.

Por el contrario, las que mantienen vivas las ilusiones y disponen de un programa vital con objetivos renovados corren menos riesgo de deterioro cognitivo leve e incluso de demencia. Tomarse la vida de forma positiva, sin amargura ni rencores, y sin hacerse reproches a uno mismo o a los demás, también nos protegerá del deterioro. Todos hemos podido comprobar que las personas más longevas suelen ser las más optimistas.

Unas buenas prácticas que nos ayudarán a regular y controlar mejor nuestras emociones son la meditación (*mindfulness*) y las técnicas de relajación. Se ha comprobado que la práctica regular de estas técnicas produce cambios beneficiosos en el cerebro y ayuda a vivir la vida de forma más serena. El yoga, el tai chi o los ejercicios de Pilates obligan a mantener una elevada atención sobre nuestro propio cuerpo, evitando, mientras dura la práctica, que nuestra mente divague, lo que, además de beneficios físicos, nos aporta importantes ventajas cognitivas.

La consigna sería no olvidar los tres ejercicios: físico, mental y social.

8.3. EJERCICIO FÍSICO

Se ha comprobado, en estudios experimentales con animales y en humanos, que el ejercicio físico aumenta el volumen del hipocampo, una región cerebral clave para la memoria y la más dañada precozmente en la EA. El ejercicio también aumenta el flujo sanguíneo cerebral, la formación de nuevos capilares sanguíneos, con lo que las neuronas están mejor nutridas y aumentan las conexiones entre ellas. Se ha demostrado que el ejercicio físico regular durante años reduce los niveles de la proteína beta-amiloide cerebral, la proteína tóxica que daña las neuronas en la enfermedad de Alzheimer.

En humanos se ha comprobado que el ejercicio mejora la capacidad cognitiva y, sobre todo, las capacidades de planificar, programar y autorregular nuestro comportamiento. También mejora la memoria de trabajo, que nos permite almacenar la información a corto plazo, analizarla y llegar a conclusiones. Si se practica ejercicio físico regular, de intensidad moderada, desde la edad media de la vida, el riesgo de pérdida de memoria por EA en la edad avanzada es claramente inferior. Los estudios en gemelos son muy ilustrativos, pues siendo el mismo el riesgo genético de padecer EA, se ha comprobado que si uno de los gemelos practica más ejercicio que el otro, su riesgo de sufrir una demencia disminuye.

Es aconsejable combinar los ejercicios aeróbicos (footing, tenis, baile, spinning, natación, aquagym) con ejercicios de estiramiento y corrección postural como el Pilates o el yoga. Es importante que se elija la modalidad deportiva con la que más se disfruta, ya que las emociones agradables que acompañan al ejercicio también tienen relevancia. El ejercicio físico compartido con otras personas tiene un beneficio adicional: contribuye a fomentar las relaciones sociales, otro de los pilares de la actitud combativa frente a la demencia.

8.4. FACTORES DE RIESGO VASCULAR

Llamamos factores de riesgo vascular a todos aquellos hábitos de vida y alteraciones metabólicas que conducen a la enfermedad arterial, la arteriosclerosis. La arteriosclerosis es una enfermedad de la pared de las arterias que conduce a su obstrucción y que puede manifestarse en forma de angina o infarto de miocardio, o de infarto cerebral (ictus). La arteriosclerosis cerebral predispone a sufrir la enfermedad de Alzheimer y es, además, una causa de demencia por sí misma (demencia vascular) como se ha expuesto en el capítulo 7.

Dentro de los factores de riesgo vascular se incluyen la vida sedentaria, el sobrepeso, el tabaco, el consumo excesivo de alcohol, la hipertensión, el colesterol y/o triglicéridos elevados y la diabetes. El tabaco es nocivo para las arterias y, por tanto, también para el cerebro. Además, deteriora los pulmones, genera una insuficiencia respiratoria (EPOC) que empobrece la oxigenación de la sangre que llega al cerebro y también, a menudo, es la causa del cáncer de pulmón.

Si queremos reducir las posibilidades de padecer una demencia, la eliminación de estos factores será una clave definitiva. Aquí juega un papel determinante el médico de cabecera, que asesora y controla a las familias.

8.5. DIETA PREVENTIVA

La dieta es un factor determinante en nuestra salud y, en consecuencia, en el riesgo de padecer una demencia.

Se han realizado numerosos estudios acerca de la alimentación más adecuada para evitar el deterioro de nuestras funciones cognitivas. La conclusión más clara es que la dieta mediterránea es muy beneficiosa. Las verduras y hortalizas, sobre todo de hoja verde, los frutos rojos, el pescado azul y el aceite de oliva aportan nutrientes y compuestos muy saludables para nuestro cerebro. De ellos, los que merecen ser destacados son los polifenoles y el ácido graso omega-3.

El omega-3 es un componente fundamental en las membranas neuronales. Es abundante en el pescado azul, en semillas y aceites de semillas, y en aceites vegetales y frutos secos, sobre todo nueces, piñones y almendras.

Los polifenoles son potentes antioxidantes que están muy presentes en los vegetales y especialmente en el té verde, la uva, los frutos rojos, el cacao o la canela. Una especie, la curcumina, está siendo objeto de numerosos estudios por su potente efecto antioxidante y antiinflamatorio, así como por favorecer la neurogénesis.

La dieta, por otro lado, modifica la composición de la microbiota o flora intestinal del individuo, y esta, a su vez, tiene efectos directos sobre nuestro cerebro (para más información acerca de la influencia de la alimentación y la flora intestinal en el cerebro, véase A. Malagelada, *Alzheimer. ¿Un origen infeccioso? Alzheimer, microbios, flora intestinal*, en la bibliografía).

Merece la pena destacar también la importancia de la lucha contra la diabetes, dado que cada vez existe una mayor evidencia acerca de su papel en el aumento del riesgo de demencia. Por ello resulta muy recomendable una dieta pobre en azúcares e hidratos de carbono.

9

EXPLORACIONES Y DIAGNÓSTICO

No disponemos de ninguna prueba que permita el diagnóstico del Alzheimer con certeza antes de la muerte del enfermo, momento en que se puede realizar el estudio patológico del cerebro. Tampoco existe ninguna para las otras demencias degenerativas. Los neurólogos basamos el estudio del enfermo sobre todo en su historia personal y familiar. Podemos explorar sus capacidades físicas y mentales, y luego, con la ayuda de exámenes de imagen y algunos biomarcadores (véase el apartado 9.3), realizar un diagnóstico de probabilidad, que la evolución, con el paso de los años, se encargará de confirmar. Una vez fallecido el enfermo existe la posibilidad de practicar un estudio patológico de su cerebro, la única prueba que nos puede proporcionar un diagnóstico seguro.

En la actualidad se están realizando avances en la búsqueda de una prueba biológica fiable, como sería la determinación de ciertas proteínas en sangre y líquido cefalorraquídeo. También se avanza en los estudios genéticos, que permitirán realizar el diagnóstico precoz de la enfermedad de Alzheimer.

9.1. EVALUACIÓN CLÍNICA Y NEUROPSICOLÓGICA

La evaluación clínica neurológica comprende la historia clínica, la valoración de los antecedentes familiares y personales (en especial de las dolencias crónicas que pueda tener el enfermo, como la hipertensión arterial, la diabetes o los niveles altos de colesterol), y los hábitos de vida como el consumo de tabaco o alcohol, o el sedentarismo. Es importante comunicar al neurólogo los posibles antecedentes de trastornos de personalidad en los familiares y, por supuesto, de alteraciones de memoria o de conducta. La colaboración de los familiares en la elaboración del historial clínico es fundamental, ya que el paciente puede olvidar algún dato importante o no darle importancia, incluso en las etapas iniciales de la enfermedad.

A la historia clínica le sigue la exploración neurológica con el objeto de evaluar la motricidad, las sensibilidades, la estabilidad, la marcha y la coordinación.

Esta exploración permite al neurólogo detectar alteraciones que sugieran otros diagnósticos. Por ejemplo, si existe un trastorno del habla, la exploración le permitirá dilucidar si es o no a consecuencia de un ictus. Y si se presenta una alteración en la marcha, podrá comprobar si es como consecuencia de una parálisis o por falta de coordinación.

La exploración se complementa con una analítica sanguínea para descartar otras patologías metabólicas o endocrinas, que pueden producir deterioro cognitivo y que en algunos casos son de fácil tratamiento, como pueden ser los trastornos de la glándula tiroidea o un nivel bajo de vitamina B12.

A continuación, se realiza la evaluación neuropsicológica mediante la aplicación de diferentes test que nos aportarán información acerca del grado de deterioro cognitivo del paciente, de las funciones cognitivas afectadas y de la coexistencia de problemas emocionales, con ansiedad o depresión, que pueden influir de forma relevante en el deterioro. Es importante distinguir bien si el enfermo tiene un trastorno cognitivo a consecuencia de la degeneración del cerebro o debido a la falta de atención y concentración provocada por un conflicto psicológico. En ocasiones, en las etapas iniciales no resulta fácil llegar a una conclusión fiable y es necesario repetir los test más de una vez, complementándolos con diferentes cuestionarios.

Antes de realizar los test más complejos, indicados por el neurólogo, se pueden usar pequeños cuestionarios, habituales en la atención primaria y que pueden ser utilizados incluso por la propia familia del paciente.

Las asociaciones de familiares de Alzheimer recomiendan un guía sencilla, realizada con la información que tienen los familiares, que puede servir como prueba de alerta (véase página siguiente). Este test puede complementarse con un pequeño cuestionario (de Pfeiffer) de diez preguntas, a las que debe responder el paciente (véase página siguiente). Si se producen cinco o más errores, es probable que exista un deterioro importante y que haya iniciado el camino hacia la demencia.

Test de alerta de demencia

El paciente...

- Hace la misma pregunta una y otra vez.

- Repite la misma historia palabra por palabra.

- Se olvida de cómo se cocina, de ordenar la casa, de jugar a las cartas o de cualquier otra actividad que antes realizaba regularmente.

- Pierde el hábito de pagar las cuentas.

- Se pierde en sitios conocidos o dentro de casa.

- Descuida la higiene personal, viste siempre igual e insiste en que se ha lavado y cambiado la ropa.

- Depende de otra persona, como el cónyuge, a la hora de decidir o de responder a preguntas.

Test de sospecha de demencia (Pfeiffer)

1. ¿Qué día es hoy?

2. ¿Qué día de la semana?

3. ¿Dónde estamos ahora?

4. ¿En qué calle vive?

5. ¿Cuántos años tiene?

6. ¿En qué día, mes y año nació?

7. ¿Cuál es el nombre del presidente del Gobierno?

8. ¿Y el del anterior presidente?

9. ¿Cómo se llama su madre?

10. Cuente de 20 a 1 bajando de 3 en 3.

En la práctica médica, antes de proponer una evaluación cognitiva en mayor profundidad, utilizamos una guía de tan solo diez apartados para valorar cualitativamente si existe alarma de demencia:

Test de alarma de demencia
1. Pérdida de la memoria relativa a personas o cosas, que ya no se vuelven a recordar.
2. Desorientación en una ruta habitual, como ir y volver de un sitio familiar o perderse en casa.
3. Olvido o grave dificultad para las tareas rutinarias, como preparar la comida.
4. Pérdida de la capacidad para vestirse y desvestirse sin ayuda (sin que existan parálisis o fracturas óseas).
5. Cambiar sin sentido los objetos de un lugar a otro, como por ejemplo meter el periódico en el frigorífico.
6. Alteración del humor sin motivo, pasando fácilmente de la alegría a la tristeza.
7. Olvido de palabras del lenguaje cotidiano, con un discurso poco comprensible.
8. Pérdida de la capacidad de iniciativa, de tomar decisiones.
9. Dificultades para el pensamiento abstracto.
10. Delirios o alucinaciones (sin antecedentes psiquiátricos anteriores).

Una función característicamente alterada en las demencias es el pensamiento abstracto, es decir la capacidad de analizar, elaborar y manejar información para razonar y deducir conceptos no explícitos. Una forma sencilla de evaluar la capacidad del paciente para el pensamiento abstracto consiste en pedirle que explique el significado de refranes tan populares como los siguientes: «En casa del herrero, cuchillo de palo», «Quien a buen árbol se arrima, buena sombra le cobija», «No por mucho madrugar amanece más temprano», «A buen entendedor pocas palabras bastan», etc.

El paciente que sufre un deterioro cognitivo con alteración del pensamiento abstracto no sabe qué comentar, no interpreta el sentido figurado de la expresión o, a lo sumo, puede contestar: «Siempre amanece temprano» o «El árbol da sombra», sin saber añadir un comentario interpretativo del refrán.

Otro test básico para evaluar el estado cognitivo del paciente es el MMS (desarrollado por M. F. Folstein, S. Folstein y P. R. McHugh en 1975), acrónimo en inglés de mini examen del estado mental (*Mini-mental State Examination*). Como se ve a continuación, se trata de un conjunto de preguntas ordenadas en once apartados, que incluye la copia de dos polígonos superpuestos. La puntuación máxima es de treinta puntos. Las personas sanas obtienen más de veintisiete puntos; las que tienen un deterioro cognitivo leve (DCL) puntúan entre veinticuatro y veintisiete, mientras que en caso de demencia se quedan por debajo de los veintitrés.

Miniexamen del estado mental (MMS)

1. Orientación en el tiempo

   a. En qué año estamos...1 punto

   b. En qué estación del año...1 punto

   c. Qué día del mes es hoy... 1 punto

   d. Qué día de la semana .... 1 punto

2. Dónde estamos: dirección, piso, ciudad, país...........5 puntos

3. Repita las palabras: papel, cuchara, bicicleta .... 3 puntos

4. Cuente hacia atrás, de 7 en 7, desde 100
   hasta 60..... ....5 puntos

5. Recuerde los objetos del punto 3.............................3 puntos

6. Dígame qué es esto (reloj, lápiz)...............................2 puntos

7. Repita: «Ni no ni sí ni pero»....................................1 punto

8. Coja el papel con la mano derecha, dóblelo
   por la mitad y déjelo en el suelo ....3 puntos

9. Cierre los ojos, levante la mano izquierda ....1 punto

10. Escriba una frase con sentido, sujeto y predicado ....1 punto

11. Copie el dibujo..1 punto

Total:...30 puntos

También tiene gran interés el test del dibujo del reloj (de Battersby y colaboradores). Consiste en pedir al paciente que dibuje un reloj que marque las once y diez. Esta sencilla operación exige al paciente estar atento a la instrucción oral que recibe, recordar cómo es un reloj (lo que implica recuperar de su memoria la imagen) y desarrollar funciones ejecutivas complejas que incluyen la planificación mental y la habilidad visoespacial. Es frecuente que este test ya quede alterado en pacientes con fase precoz de demencia.

Test del dibujo del reloj

- Dibuje un reloj grande y con la esfera redonda.

- Ponga en la esfera los números de las horas.

- Coloque las agujas marcando las once y diez.

Puntuación:

- Si el 12 está bien colocado... 3 puntos

- Si ha escrito bien los 12 números............................... 2 puntos

- Si las agujas están bien... 2 puntos

- Si marca bien la hora.. 2 puntos

El resultado se considera normal por encima de los 7 puntos.

Así pues, basándonos en el interrogatorio al paciente y los familiares, y en la exploración física y neuropsicológica básica del paciente, podemos realizar una primera orientación diagnóstica.

Siguiendo a J. J. Zarranz (véase bibliografía), se puede realizar el siguiente cuadro diferencial de las tres demencias:

Cuadro diferencial de las demencias degenerativas

Alzheimer

- Comienzo lento que se manifiesta con dificultades de memoria, anomia y pérdida de fluidez verbal.

- Desconocimiento de lo que sucede alrededor.

- Pérdida del lenguaje, apraxia y pérdida de la capacidad de reconocimiento de personas y cosas.

- Aparición tardía de trastornos de conducta y del sueño.

Demencia frontotemporal

- Personas más jóvenes.

- Comienzo con trastornos de conducta (irritabilidad, desinhibición, pérdida de autocontrol, comportamiento obsesivo-compulsivo, apatía).

- Alteración precoz del lenguaje (dificultades para la articulación, pérdida de melodía, sin ritmo, voz monótona, repetición de las palabras que escucha, tendencia al mutismo).

Demencia con cuerpos de Lewy

- Personas de más edad.

- Comienzo con desorientación y alucinaciones visuales.

- Caídas y síncopes sin causa conocida.

- Oscilación desde un estado de confusión y delirio a otro de lucidez.

- Síntomas de enfermedad de Parkinson.

- Hipersensibilidad a los fármacos sedantes neurolépticos.

Escala de cuantificación

GDS 1: Ausencia de alteración cognitiva

- Memoria normal y ausencia de quejas subjetivas.

GDS 2: Disminución cognitiva muy leve

- Olvida dónde deja las cosas y los nombres de familiares.
- Sin defectos en el trabajo o en la relación social.
- Quejas subjetivas por déficit de memoria.

GDS 3: Deterioro cognitivo leve (DCL)

- Dificultad para recordar palabras leídas y el nombre de personas que acaba de conocer.
- Pierde cosas y se pierde en sitios poco conocidos.
- En el trabajo se quejan de bajo rendimiento laboral.
- Desconocimiento y negación de los déficits.

GDS 4: Deterioro cognitivo moderado

- Falta de concentración, dificultad para recordar la propia biografía y los acontecimientos actuales.
- Descontrol económico, dificultad para viajar.
- Disminución de la capacidad de afecto, huida de las situaciones exigentes.
- Negación de las deficiencias.

e la demencia (GDS)

GDS 5: Demencia inicial

- Dificultad para recordar cosas importantes (domicilio, número de teléfono, nombres de familiares).

- Dificultad para contar hacia atrás.

- Desorientación en el espacio y en el tiempo.

- Autonomía para la higiene y la comida, pero precisa ayuda para vestirse.

- Necesita estar junto a otras personas.

GDS 6: Demencia moderada

- Olvida el nombre del cónyuge y de los acontecimientos recientes, pero recuerda su propio nombre.

- Desconocimiento del entorno, del día, del año, de la estación.

- Necesita asistencia para las actividades cotidianas, posible incontinencia.

- Conducta delirante, obsesiones, abulia.

GDS 7: Demencia grave

- Pérdidas psicomotrices, como la capacidad de caminar. Permanece en cama.

- Incontinencia urinaria, dependencia para la higiene y para comer.

- Pérdida total del lenguaje. Pérdida de la intención en la mirada.

Para realizar una valoración más exhaustiva y precisa del grado de demencia existen más test de mayor especialización. Entre los más utilizados están el Test Barcelona R (revisado), el *Cambridge Mental Cognitive* (CAMCOG), la subescala cognitiva de la entrevista *Cambridge Mental Disorders of the Elderly Examination* (CAMDEX) y la *Alzheimer's Disease Assessment Scale* (ADAS).

La aplicación de estas baterías neuropsicológicas nos permite evaluar tanto el grado de demencia como, sobre todo, identificar las funciones cerebrales afectadas, y con ello, indirectamente, las áreas y estructuras cerebrales deterioradas. El perfil de demencia que se obtiene de ellas es un instrumento poderoso para diferenciar los distintos tipos de demencia (Alzheimer, frontotemporal, vascular u otras). Estos test más complejos resultan de gran utilidad a la hora de evaluar el efecto de un tratamiento nuevo.

A fin de valorar con la fiabilidad necesaria el grado de demencia y la etapa evolutiva en que se halla el enfermo se utiliza generalmente la escala de deterioro global GDS (*Global Deterioration Scale*), de B. Reisberg (en la doble página anterior). En ocasiones, si se sospecha la presencia de síntomas depresivos o de ansiedad, se utilizan para cuantificarlos otras escalas más específicas, como la escala de ansiedad de Hamilton o la escala de ansiedad y depresión de Goldberg.

A partir de la observación y exploración física del enfermo, del análisis de sus respuestas y su discurso, de la información obtenida de los familiares y del resultado de la exploración neuropsicológica, el neurólogo puede elaborar una orientación clínica acerca del tipo de demencia que padece, así como de la fase —inicial, moderada o avanzada— en que se encuentra.

Para obtener ayudas sociales o valorar la prescripción de un tratamiento es también necesario definir el grado de autonomía, invalidez y dependencia del paciente en su vida diaria. Para este objetivo se utilizan escalas que permiten obtener un índice que cuantifica este grado. La escala más común es la de Barthel, en la que, a partir de la información que proporcionan la familia o el cuidador, se evalúa el grado de dependencia, valorando los parámetros de las actividades básicas de la vida diaria: comer, lavarse, vestirse, arreglarse, control de esfínteres, traslado de un lugar a otro, caminar, subir y bajar escaleras, etc. La situación de plena independencia corresponde a 100 puntos. Por debajo de los 60 comienza la dependencia, que es grave si el paciente puntúa menos de 35 puntos y es total por debajo de los 20.

9.2. LA NEUROIMAGEN

La resonancia magnética (RM) craneal es una exploración de neuroimagen del cerebro en la que el cuerpo es sometido a un campo magnético. Las ondas magnéticas modifican la orientación de los átomos de hidrógeno que contienen los tejidos del organismo. Al volver a su posición de origen, generan una señal que, mediante un tratamiento informático muy complejo, se traduce en una imagen. Es una técnica indolora y sin riesgos para la salud.

La utilidad de la RM en la demencia es múltiple. En primer lugar, permite descartar otras enfermedades del cerebro como las hemorragias y los infartos cerebrales, los tumores y las encefalitis, que en ocasiones pueden presentar una sintomatología de deterioro cognitivo. En segundo lugar, la RM craneal permite observar y valorar el grado de atrofia cerebral, comprobar si afecta más a la corteza, como sucede en la enfermedad de Alzheimer, o a todo el cerebro, de forma global, lo que indicaría otras patologías (figura 11). También permite comprobar si existe una región del cerebro donde es más acusada (atrofia focal), como sucede con el hipocampo en las fases precoces de la EA.

Otra circunstancia que queda patente en la RM es la presencia de pequeños y múltiples infartos (infartos lacunares) que no han ocasionado síntomas agudos, sino que han cursado de forma silente y pueden conducir a un deterioro cognitivo progresivo, para acabar desarrollando una demencia. Algunos estudios demuestran incluso que la presencia de infartos lacunares múltiples conlleva un peor pronóstico, de cara al futuro, que el hallazgo de un gran infarto cerebral (ictus) que ha dejado secuelas motrices. Ello explica que personas que han sufrido un ictus con secuelas importantes, como la parálisis de medio cuerpo, puedan quedar con las funciones cognitivas preservadas.

Existen otras variantes de la RM, como la resonancia magnética espectroscópica, que mide diferentes metabolitos del cerebro, y la resonancia magnética funcional, que detecta la actividad metabólica del cerebro. Ambas son técnicas que tienen más utilidad en la investigación que en la práctica médica diaria.

Es importante señalar, no obstante, que la normalidad de una RM craneal no descarta la demencia.

Otros métodos de exploración más recientes son la tomografía por emisión de positrones (PET, en inglés *Positron Emission Tomography*) y la tomografía computerizada por emisión de fotón único (SPECT, en inglés *Single Photon Emission Computed Tomography*). Ambas son técnicas denominadas funcionales, porque nos aportan información acerca de la función del cerebro. Consisten en la inyección intravenosa de un elemento denominado radiotrazador, que es una molécula, generalmente de glucosa, marcada con un isótopo radiactivo. Este radiotrazador alcanza el cerebro por vía sanguínea y se incorpora a sus células. La molécula marcada libera rayos gamma que son recogidos por una gammacámara y traducidos a imagen. La cantidad de emisión gamma es una medida indirecta de la cantidad de glucosa incorporada al cerebro en sus diferentes regiones y, por tanto nos revela el estado del flujo sanguíneo y de la actividad metabólica del cerebro.

En la EA, la PET (figura 12) y la SPECT revelan una disminución unilateral o bilateral de la actividad en los lóbulos temporales y parietales, en función de la etapa en que se halle la enfermedad. En otra demencia, la frontotemporal, la actividad se encuentra reducida en los lóbulos frontales y temporales.

Otra técnica más novedosa para el estudio de la EA es la PET (tomografía por emisión de positrones), que utiliza un radiotrazador que marca las proteínas anormales presentes en el cerebro enfermo: la proteína beta-amiloide fibrilar y la proteína tau hiperfosforilada. Para marcar la proteína beta-amiloide se utiliza el PiB, el compuesto Pittsburgh B (figura 13), o el florbetapir, que permiten cuantificar la cantidad de proteína aberrante presente. Las personas con pérdida de memoria, con mayor cantidad de amiloide cerebral, tienen más riesgo de desarrollar demencia de Alzheimer al cabo de un tiempo. Para marcar la proteína tau se utilizan trazadores diferentes como el flortaucipir, los compuestos THK, o uno de la misma familia que el PiB, el PPB3. Un estudio reciente indica que la cuantificación de la proteína tau se correlaciona aún mejor que la beta-amiloide con la situación cognitiva del paciente.

9.3. LOS BIOMARCADORES

El análisis de diferentes moléculas en sangre y líquido cefalorraquídeo contribuye al diagnóstico de la EA. Actualmente los biomarcadores con los que se trabaja son la proteína $A\beta_{42}$, la proteína tau total (t-tau) y la tau fosforilada (p-tau).

En la EA familiar los niveles de Aβ total y Aβ$_{42}$ en sangre son elevados. En la EA tardía la utilidad de la Aβ plasmática es controvertida.

Los niveles de biomarcadores en el LCR tienen más valor diagnóstico, pues los niveles de Aβ$_{42}$ están disminuidos en el deterioro cognitivo leve y en la EA, probablemente porque la deposición de Aβ en las placas amiloides conduce a la reducción de sus niveles solubles en cerebro y LCR. Los niveles de t-tau o p-tau, en cambio, aparecen elevados en el LCR de los pacientes con EA.

Por desgracia, estos biomarcadores no son específicos de la EA y pueden ser alterados por otras enfermedades neurológicas. En la actualidad no puede establecerse con seguridad el diagnóstico en base solo al resultado de los biomarcadores.

La información que nos aporta la neuroimagen, junto con la exploración del paciente y su evaluación neuropsicológica, acompañadas en ocasiones de la determinación de biomarcadores en líquido cefalorraquídeo, nos permitirán establecer un diagnóstico de probabilidad de la demencia. La certeza diagnóstica, como ya se ha dicho, solo se puede obtener cuando se ha realizado el estudio patológico del cerebro, una vez que el paciente ha fallecido.

No siempre resulta fácil, en las primeras etapas de la enfermedad, identificar las diferencias entre los distintos tipos de demencias neurodegenerativas.

10

ASISTENCIA Y TRATAMIENTOS

En la actualidad no existe ningún fármaco que consiga curar, prevenir o detener la evolución de la demencia, por lo que las medidas terapéuticas de que disponemos persiguen básicamente alargar la autonomía del paciente y mejorar su calidad de vida, así como la de la familia y los cuidadores.

Hemos comentado en el capítulo 8, sobre la prevención de la demencia, cuán grande es la importancia de la estimulación cognitiva, del ejercicio físico y de la dieta como factores de protección. A continuación, veremos cómo estas medidas preventivas también resultan de gran importancia cuando ya existen problemas cognitivos y cómo pueden ralentizar el deterioro.

10.1. EJERCICIO FÍSICO

Se ha demostrado que el ejercicio físico moderado retarda la progresión de la enfermedad en los pacientes con EA. Uno de los posibles mecanismos se basa en el hecho de que el ejercicio aeróbico produce un aumento del BDNF en el cerebro. El BDNF, o factor neurotrófico derivado del cerebro (del inglés *brain-derived neurotrophic factor*), es una proteína sintetizada en el cerebro que tiene efectos neuroprotectores y favorece la plasticidad sináptica y la neurogénesis y, en consecuencia potencia la memoria y capacidad de aprendizaje. El BDNF aparece disminuido en la enfermedad de Alzheimer y el ejercicio parece mejorar sus niveles cerebrales. Curiosamente, parece que son las moléculas liberadas en el músculo durante el esfuerzo las que actúan a nivel cerebral y estimulan la producción de BDNF.

Una actividad tan básica como caminar puede reducir la velocidad del deterioro cognitivo, lo que no ocurre con los pacientes sedentarios. El ejercicio también reduce la mortalidad precoz en la EA.

Es recomendable que la intensidad del ejercicio sea moderada (más tiempo y menos esfuerzo), y aún mejor si comporta juegos de pelota con otras personas amigas, pues de ese modo al ejercicio físico moderado se le suma la interacción social. Mantener la socialización es fundamental. O, dicho a la inversa: perder el contacto social precipita la evolución hacia el aislamiento y la demencia.

10.2. ESTIMULACIÓN COGNITIVA

Los pacientes con demencia suelen presentar una gran apatía y tienden a abandonar todas las actividades diarias que solían realizar. Otras veces presentan hiperactividad, pero una actividad sin objetivo concreto y que no les aporta ningún beneficio. La estimulación cognitiva (EC) consiste en invitar al paciente a realizar diferentes actividades que le obliguen a mantenerse mentalmente activo. Es importante que la estimulación trabaje el mayor número posible de funciones cerebrales, como las funciones sensoriales, la memoria, la atención, el lenguaje, las funciones ejecutivas y, por supuesto, las relativas a la parte emocional. No olvidemos que nuestros recuerdos incluyen un componente emocional, y que es evidente que recordamos mejor las experiencias que fueron acompañadas de una emoción intensa, positiva o negativa.

La repercusión de la estimulación sensorial en el cerebro se puede ver reflejada en un interesante estudio que midió el volumen del área cerebral auditiva en el lóbulo temporal en pacientes que tenían sordera unilateral adquirida durante la vida adulta. Se comprobó que se había producido en el lado de la sordera una atrofia del cerebro que no aparecía en el lado sano, lo que significa que la privación del estímulo auditivo había conducido a una disminución de la red neuronal correspondiente a la audición.

La EC mejora las funciones cognitivas de los pacientes, sobre todo en las fases precoces. Aún no se conocen con certeza los mecanismos responsables de esta mejoría, pero es probable que se produzca porque la estimulación provoca un aumento de las sinapsis, preserva las neuronas y activa diversos circuitos cerebrales alternativos, que suplen a las regiones dañadas.

Esta estimulación de las funciones cognitivas se puede llevar a cabo de forma individual, en grupo y con ayuda o no de medios informáticos. Todo dependerá de las características y preferencias del paciente, así como de su grado de deterioro cognitivo.

Para ello existen talleres de estimulación cognitiva específicos que tienen la ventaja de contribuir a la interacción social del paciente cuando se realizan en grupo. Pero hay pacientes que se niegan a acudir a un centro. En estos casos se puede recurrir a programas informáticos desarrollados específicamente para la estimulación de pacientes con demencia. La tendencia actual se centra en la creación de «videojuegos serios» para pacientes con EA, llamados así porque son desarrollados no solo para entretener sino también para aportar información, educar o mejorar las funciones cognitivas o el estado físico. En la actualidad existen también programas de telerehabilitación cognitiva que el paciente realiza en el ordenador de su domicilio, pero bajo la supervisión periódica de un terapeuta, que irá adaptando el nivel de dificultad de los ejercicios al grado de deterioro del paciente. Para que la EC sea eficaz hay que incrementar de forma muy lenta las exigencias, y aportar un refuerzo positivo cuando la ejecución sea acertada, a fin de mantener la motivación del enfermo.

No hay que olvidar que un aspecto beneficioso de la EC, sobre todo en las fases más tempranas de la enfermedad, es la implicación del paciente en su propia terapia. El paciente siente satisfacción por el hecho de contribuir con su propio esfuerzo a mejorar su salud, y además siente que tiene una obligación diaria, lo que también es beneficioso.

En casa es importante mantener al paciente mentalmente ocupado, mediante los juegos de mesa, adaptando la complejidad de los mismos a su capacidad cognitiva. Disponemos de juegos de complejidad muy diferente, desde el ajedrez, el scrabble, el bridge o el dominó, hasta juegos simples como el juego de la oca. También es una buena opción organizar sesiones de cine con películas que el paciente ya ha visto. Un buen sistema consiste en reunir una colección de películas que haya visto años atrás y que le gusten, que sean «de su época». Cuando se trata de pacientes que se hallan en una fase de la enfermedad en la que ya presentan cierta dificultad para seguir el argumento, es beneficioso fijar un horario concreto y regular para el visionado y reproducir solo películas bien conocidas por el paciente. De esta forma reconocerá a los actores y será más capaz de seguir la trama, incluso anticipándose a las escenas con observaciones del tipo «ahora es cuando él le canta esa canción...». De esta forma el paciente está entretenido y siente bienestar, y además los familiares disponen de tiempo para hacer otras cosas.

Tan importante como la estimulación cognitiva es el cuidado emocional. Curiosamente, los pacientes que sufren DCL con sensación de bienestar mental tienen menos depósito de proteína anormal (amiloide) en su cerebro.

A pesar de que los pacientes con EA van perdiendo diferentes funciones cognitivas, el procesamiento emocional está conservado, sobre todo en las fases iniciales de la enfermedad. Un estudio que se llevó a cabo con enfermos de Alzheimer resulta muy demostrativo: a un grupo de pacientes con EA y a otro grupo de personas sanas (grupo de control), se les mostraron películas que provocaban tristeza. Cuando faltaban treinta minutos para el final, se observó de qué modo recordaban los dos grupos el contenido de las películas, y se les interrogó acerca de sus emociones. Los pacientes con EA sentían la misma tristeza que los controles sanos, a pesar de que, a diferencia de estos, no recordaban el contenido de la película o ni tan siquiera haberla visto anteriormente. Las emociones persistían en aquellos pacientes que no recordaban la experiencia, lo que significa que la pérdida de la memoria no llevaba aparejada la pérdida de la capacidad emotiva. Un dato curioso es que el sentimiento de tristeza perduraba más tiempo en los pacientes que no recordaban en absoluto la película, lo que induce a pensar que presentan una mayor dificultad para manejar y elaborar las emociones cuando desconocen la vivencia que las originó.

Otra prueba de ello es el caso de un paciente con EA que había sufrido una experiencia negativa en la primera visita al médico y que, a pesar de no recordar la experiencia, experimentaba un sentimiento de rechazo cada vez que debía ser visitado por él. Con frecuencia los pacientes con EA son muy reticentes a ser visitados por el neurólogo, por diferentes motivos: porque no son conscientes de sus dificultades cognitivas (anosognosia), porque no quieren admitir sus dificultades o porque son desconfiados y suspicaces. Todos los neurólogos que atendemos a pacientes con demencia sabemos que con estos pacientes es muy importante esmerarse en el trato, ser atento y cariñoso, a fin de ganarnos su confianza y lograr que acepten ser visitados en el futuro.

Una interesante terapia no farmacológica para los pacientes con EA es la musicoterapia. Se ha comprobado que las actividades de carácter musical, sobre todo si se implica al paciente mediante el canto, con palmadas o tocando instrumentos simples como la pandereta o el triángulo, repercuten de forma positiva en sus capacidades cognitivas, reducen la agitación, la ansiedad y la agresividad, y les producen bienestar. A menudo hemos podido observar la cara de satisfacción del paciente cuando, de forma espontánea, nos canta una canción, y el asombro que genera en los presentes el hecho de que recuerde la letra y la melodía.

10.3. DIETA EN LA DEMENCIA

Todos los aspectos de la dieta comentados en el apartado 8.5 sobre la prevención son aplicables al paciente que ya padece una demencia, pero comentaremos algunos detalles referentes a las personas que ya padecen la enfermedad.

En las primeras etapas de la demencia, cuando el paciente aún es autónomo, es muy frecuente que deje de cocinar o simplifique indebidamente la dieta y esta sea muy repetitiva. La familia debe estar alerta, porque la dieta va a ser uno de los factores que influirán en la evolución más lenta o rápida de la demencia. Se deben evitar la comida preparada y los alimentos muy procesados, porque su poder nutritivo es menor y contienen muchos aditivos perjudiciales para la salud.

Es importante que la dieta sea variada, ya que los diferentes tipos de alimentos aportan distintos tipos de nutrientes; más que la cantidad es importante la calidad, a fin de que el paciente reciba las vitaminas, proteínas e hidratos de carbono que necesita. Dado que la actividad física del enfermo con Alzheimer se va reduciendo de forma progresiva a medida que avanza la enfermedad, su consumo calórico también disminuye, por lo que necesita una menor cantidad de alimento. No nos debe preocupar que el enfermo ya no coma tanto como antes, pues hay que tener en cuenta, además, que se ha comprobado que el consumo calórico moderado aumenta la longevidad.

En cambio, sí nos debe preocupar que consuma suficientes proteínas, ya que son las que forman los tejidos de sostén y los músculos del organismo. La carencia de proteínas hace que la musculatura se debilite y que aparezcan más fácilmente las úlceras por decúbito. Teniendo en cuenta que las personas de edad avanzada en general, y más si tienen demencia, suelen rechazar la carne, la proteína puede aportarse en forma de pescado o legumbres. Y como además suelen existir problemas de dentición (les cuesta masticar), la carne se puede cocinar en forma de albóndigas o hamburguesas. En el caso del pescado es conveniente que sea azul, porque este es uno de los alimentos más ricos en ácidos grasos omega-3, los cuales, como ya se ha indicado en el apartado de prevención, son un nutriente importante para el cerebro.

Es importante que las verduras y la fruta, que se pueden presentar en forma de cremas o papillas, sean frescas y de hoja verde o piel roja, puesto que son las más ricas en antioxidantes.

Los frutos secos, sobre todo las nueces y las almendras, son muy recomendables, también por su contenido elevado en omega-3 y antioxidantes. Una porción de chocolate negro al día, si el paciente no es diabético, también es aconsejable. No hay inconveniente en el consumo moderado de café o té (una o dos tazas al día) si el paciente no está ansioso ni agitado.

Hay que evitar el abuso de azúcar. En primer lugar, porque no es bueno para la salud de la flora intestinal, y en segundo lugar porque favorece la aparición de diabetes, que acelera la demencia. En las bebidas y postres es mejor utilizar estevia, y por supuesto evitar el consumo de pasteles y pastas dulces, sobre todo si no ha sido elaborados en casa, ya que los de pastelería, además de azúcar, presentan un elevado contenido en grasas saturadas, las grasas no recomendables. También los alimentos fritos en aceite, manteca o mantequilla son ricos en grasas saturadas, por lo que es mejor cocinar en el horno y con poca grasa. No se debe abusar tampoco de los alimentos a la plancha o barbacoa, pues las altas temperaturas generan compuestos no deseables.

Por último, y dado que en estos pacientes es frecuente la aparición de estreñimiento, hay que asegurar que tengan suficiente aporte de fibra alimentaria, presente en verduras, frutas y cereales integrales. Una buena opción para el desayuno consiste en comer dos o tres kiwis, o algunas ciruelas, acompañados de dos vasos de agua caliente, a fin de favorecer el tránsito intestinal. El consumo de yogur es muy beneficioso para la flora intestinal, y se le puede añadir una cucharadita de salvado que será un saludable aporte de fibra.

10.4. OTRAS ATENCIONES Y PRECAUCIONES

Como hemos comentado, caminar a diario reduce la velocidad del deterioro cognitivo. Si la capacidad cognitiva del paciente le permite salir a pasear solo, es recomendable que siga siempre el mismo itinerario. Igualmente cuando vaya acompañado. La repetición del mismo recorrido cada día hará que al paciente le resulte más fácil orientarse y le permitirá ir observando lo que sucede a su alrededor, ya que no tendrá que estar pendiente del camino. Existen en el mercado localizadores con GPS incorporados a un reloj que permiten a la familia localizar al paciente en caso de extravío. Es necesario que el enfermo salga siempre de casa debidamente identificado, con el nombre, la dirección y teléfonos de contacto. No hace falta que lleve el DNI, puede llevar una fotocopia, y mejor una pulsera o medalla identificativa; también es aconsejable que lleve poco dinero.

Si el enfermo tiene que quedarse solo en casa durante un rato, es recomendable usar los sistemas de teleasistencia que ofrecen los servicios sociales de las comunidades autónomas y de algunos municipios. Se puede conseguir información sobre los mismos en los centros de asistencia primaria o en la Cruz Roja.

Deben evitarse los viajes con estancia en hoteles o viviendas desconocidas, pues el paciente se desorienta en el nuevo entorno. Además, un trayecto largo en automóvil será mal tolerado: a los pocos minutos el paciente se inquieta y pregunta angustiado una y otra vez adónde le están llevando o cuándo terminará el viaje.

Es fundamental asegurar la hidratación del paciente mediante el aporte de líquidos, sobre todo en verano, ya que estos pacientes suelen perder la sensación de sed y no piden bebida. Si no beben agua empeoran las funciones cerebrales a causa de la deshidratación celular.

Los pacientes con demencia abandonan progresivamente los hábitos de higiene, lo que ocurre por la falta de iniciativa, ya que no son conscientes de la necesidad de ir aseados y no advierten la suciedad en su cuerpo ni en la ropa. Por tanto, es necesario que intervengan los cuidadores. En fases moderadas de la demencia es frecuente que el paciente se resista, incluso con cierta agresividad, a ser aseado. Esto es fácilmente comprensible si recordamos que no es consciente de la suciedad y además no le gusta que lo desvistan o lo manoseen, pues lo considera un atentado a su intimidad. El cuidador, entonces, debe cargarse de paciencia, e ir informando al enfermo de cada paso que va a dar antes de quitarle una pieza de ropa o limpiarle.

Conviene llevar al paciente a orinar cada dos horas. Mejor sentado en la taza de inodoro, aunque sea un varón, pues así se vacía mejor la vejiga. Si procuramos que la vejiga no esté llena, será más fácil evitar problemas de incontinencia. Más adelante habrá que ponerle pañales, primero para pasar la noche, y después durante todo el día. Las mujeres los aceptan mejor que los hombres.

Para lavarse los dientes se puede usar un cepillo eléctrico y dentífrico para niños, que si se traga no crea problemas, ya que es digerible.

Se deberán hacer algunas adaptaciones en la vivienda. En el baño se deberá retirar la bañera y poner una ducha de fácil acceso, con agarradores de seguridad y un asiento de plástico. En la puerta del baño no debe haber un pestillo ni una llave que permitan cerrar desde dentro. Las puertas deben ofrecer un paso de 80 cm mínimo, en previsión del día en que sea necesario usar una silla de ruedas.

Para evitar caídas, es recomendable retirar las alfombras de la casa: solo sirven para tropezar. Es aconsejable marcar las puertas de casa con colores, de modo que el enfermo identifique fácilmente los espacios. De noche, mientras el enfermo se valga por sí mismo, es conveniente dejar una luz encendida en el cuarto de baño e instalar luces de penumbra en el dormitorio y el paso hacia el baño. Así, cuando se levante para orinar, no se perderá por la casa.

Al inicio del deterioro hay que tomar medidas de seguridad para evitar escapes de gas en la cocina, mediante los aparatos de control que facilita la compañía suministradora o cambiando la cocina por otra eléctrica de inducción. Asimismo, conviene asegurarse de que la plancha sea de desconexión automática.

En fases avanzadas de la demencia los enfermos confunden el día con la noche y a veces no reconocen su propia vivienda, por lo que pueden marcharse de casa sin avisar. Para evitarlo, es aconsejable cerrar la puerta de acceso a la vivienda con una llave o un pestillo que quede fuera del alcance del enfermo.

Cuando el enfermo empieza a tener dificultades para caminar, el riesgo de caída se convierte en un tema preocupante. Las fracturas de cadera, por ejemplo, que tienen que ser intervenidas casi siempre con anestesia general, conllevan en muchos casos un grave empeoramiento tanto del estado físico como del mental. Puede ser útil proporcionar al paciente un andador y, en casos más avanzados, recurrir a la silla de ruedas, tanto para los desplazamientos dentro de la vivienda como para salir de paseo.

Cuando avanza la enfermedad y el paciente se mueve poco, o pasa el día sentado o encamado, es muy importante evitar las úlceras de decúbito, es decir las heridas y llagas que se forman en los puntos de apoyo, generalmente en la región glútea o sacra, así como en los talones, causadas por la inmovilidad y la presión constante, que impiden la adecuada circulación sanguínea y la oxigenación de los tejidos de estas regiones. Para evitar las ulceraciones se debe cuidar mucho la higiene, realizar masajes con lociones hidratantes, evitar arrugas en la ropa o las sábanas, cambiar de posición al paciente con frecuencia y realizar movilizaciones pasivas, flexionando y extendiendo las cuatro extremidades lentamente (abriendo y cerrando todas las articulaciones). Es recomendable contratar los servicios de un fisioterapeuta que programe y supervise periódicamente las tablas de ejercicios que deberá ejecutar el cuidador.

También se debe prestar atención al automóvil con el que se transporta al enfermo, evitando los asientos bajos y las puertas de difícil acceso. Esta recomendación es válida para toda la gente mayor, pero en especial cuando tiene dificultades cognitivas o de movilidad.

Cuando el enfermo no tiene familiares directos, se expone a ser víctima de personas codiciosas y desaprensivas que, con el pretexto de cuidarlo, pueden robarle los ahorros y maltratarlo con inmovilizaciones o abuso de sedantes. Es recomendable que estos enfermos sean acogidos en centros asistidos, reconocidos por la administración, donde existen sistemas de control para evitar abusos y, al mismo tiempo, garantías de buena asistencia. Las administraciones deberían regular mejor la función de los cuidadores no familiares para evitar las malas prácticas. Además, sería necesario ofrecer sistemas de formación profesional tanto a familiares como a cuidadores no familiares. En nuestro país hay bastantes cuidadores procedentes de los países andinos, en general personas educadas y amables que establecen un buen contacto emocional con el paciente.

10.5. FAMILIA Y CUIDADORES

La familia y los cuidadores son los grandes protagonistas de la atención a la persona demenciada. Es cierto que todos los familiares son importantes y que deben participar en la atención al enfermo, pero siempre debe haber un responsable principal, que conviene que sea reconocido como tal, y que será quien dirija la relación asistencial con los médicos y los otros cuidadores. A menudo los familiares de pacientes con demencia no conocen la naturaleza de los problemas que les van a sobrevenir a consecuencia de la enfermedad de su familiar, por lo que no son capaces de encontrar soluciones y simplemente procuran adaptarse como mejor pueden a la nueva situación. Esto puede afectar de forma seria a su salud, tanto física como psíquica, y generar un elevado nivel de estrés que reducirá su capacidad a la hora de cuidar al enfermo. Hasta un 25 % de los cuidadores familiares se sienten superados por la situación, un 20 % sufren ansiedad y otro 20 % síntomas depresivos. A todo ello se suma, en muchos casos, un sentimiento de culpabilidad por desatender al resto de la familia. El resultado es que un elevado porcentaje de cuidadores familiares consume psicofármacos para poder lidiar con la situación. Algunos estudios han demostrado que la prevalencia de la gripe entre los cuidadores familiares es tres veces superior a la de la población general, lo que se atribuye al déficit inmunológico que provoca el estrés.

Es frecuente, además, que los cuidadores familiares consideren que la ayuda social es insuficiente, por lo que se sienten solos, faltos de apoyo. Solo un tercio recibe ayuda de otras personas, incluidos los otros miembros de la familia.

A medida que avanza la enfermedad, el paciente se siente aislado y perdido, por lo que cada vez depende más del cuidador. Las jornadas se hacen largas y pesadas. A la carga física de cuidar al enfermo se suma el estrés emocional. Se producen situaciones o reacciones del paciente imprevistas, y el familiar debe tener la capacidad de generar recursos y soluciones. Puede llegar a ser una carga muy difícil. Además, en las fases más avanzadas, el esfuerzo del familiar no tiene la compensación de la estima del enfermo, que permanece indiferente a la ayuda que se le presta o incluso opone resistencia a la misma.

La enfermedad sigue evolucionando y los familiares tienen que adaptarse a situaciones y a carencias nuevas.

Lo que era útil hasta hace poco deja de serlo ahora. Se presentan situaciones muy duras para la familia cuando el enfermo tiene conductas anormales, está agitado o agresivo, con alucinaciones u obsesiones sexuales. Al cuidador le cuesta entender estas conductas y a veces tiene que sufrir en silencio el desprecio del enfermo. El familiar cuidador pasa de forma alternante de la preocupación al enojo o al sentimiento de culpa y, a veces, a la desesperación.

A menudo resulta difícil no llevarle la contraria al enfermo cuando, estando en casa, pide de forma insistente volver a «su casa» porque no reconoce como propia la que está habitando desde hace mucho tiempo. A veces puede sufrir alucinaciones y alarmarse porque cree que hay desconocidos a su alrededor y pide «que se vaya toda esta gente». Al principio, el familiar se sorprende, después le da largas explicaciones, y a veces se enfada cuando el enfermo no entiende que solo él ve a los intrusos y que se trata de «imaginaciones». El paciente queda confundido e inquieto y el familiar lleno de tristeza. La situación quebranta la moral del familiar. Es especialmente agotador si el enfermo no duerme bien, o sufre agitación nocturna o pesadillas de madrugada; en estos casos conviene consultar con el médico para administrar algún tipo de sedación.

Cuando el cuidador principal único es el cónyuge y ya tiene una edad avanzada, la situación se vuelve mucho más difícil, ya que experimenta mayores dificultades para entender y aceptar que su pareja está enferma.

Con frecuencia piensa que el comportamiento extraño del paciente obedece a un capricho. O incluso lo puede relacionar con antiguos desencuentros de la pareja. Es aconsejable que los familiares cuidadores tengan el apoyo del resto de la familia, pero también la ayuda médica y psicológica necesaria para poder adaptarse a estas situaciones de gran dificultad. El cuidador principal debe sentirse acompañado por el entorno social más cercano, además de ser escuchado y comprendido por el médico que atiende al enfermo.

Se han descrito experiencias muy beneficiosas basadas en la terapia psicológica de los cuidadores. Se basa en la terapia de grupo, en la que unos cuantos cuidadores o familiares exponen las vivencias, angustias y frustraciones (o incluso errores) de su relación con los pacientes. Es recomendable que cuidadores profesionales y familiares trabajen en grupos distintos, pues de este modo se crea un entorno de mayor complicidad y confianza. El grupo debe ser moderado y dirigido por un profesional de la psicoterapia, experto en terapia de grupo, y que además cuente con los conocimientos necesarios acerca de la enfermedad de Alzheimer y las otras demencias.

Es conveniente también entrar en contacto con las asociaciones de familiares de Alzheimer que ofrecen apoyo y asesoramiento. Los centros de día también son de gran ayuda, pues el enfermo se socializará, al tiempo que recibe estimulación cognitiva y fisioterapia, ambas importantes para mejorar su calidad de vida. Además, las horas que permanezca en el centro permitirán al cuidador disponer de tiempo para atender otros asuntos personales y dedicarse a su trabajo; sería deseable también que aprovechara este tiempo para realizar actividades de ocio. Algunos pacientes no entienden bien la necesidad de acudir cada día a un centro de atención, por lo que las familias, para convencerles, optan por usar eufemismos como ir al club o a la escuela de adultos.

Las prestaciones por parte de la administración, a las que pueden optar los pacientes dependientes, pueden consistir en ayudas a domicilio, prestaciones económicas, centros de día, teleasistencia y centros geriátricos. Para informarse hay que dirigirse al trabajador social del barrio o del centro de asistencia primaria, y a los servicios sociales de la comunidad autónoma. Los factores que se tienen en cuenta para acceder a estas prestaciones son el grado de dependencia y los recursos económicos de que dispone la familia.

El familiar, cuando es el cónyuge, vive el deterioro del enfermo como el fracaso de la pareja y el fin de su propia historia. Ambos son mayores y ya no piensan en otro futuro en la vida. Este dramático final se produce sin la complicidad y la comunicación deseadas e imaginadas por el cónyuge cuidador, que se siente totalmente solo. Este es un aspecto negativo más, que se suma a la carga que viene arrastrando desde hace años. Es muy difícil aceptar que la persona a quien se ha amado y admirado se haya convertido en un fantasma de lo que era, en un ser apático, desinteresado, sin memoria, que ya no reconoce al otro. Hay que cuidarlo como a un bebé, pero con la envergadura corporal de un adulto de mirada perdida, sin un ápice de complicidad o agradecimiento. Aun así, la única alternativa es intentar comprender y aceptar la situación, por más doloroso que resulte. No hay otra opción. Este libro pretende proporcionar los conocimientos necesarios sobre las demencias a fin de disminuir, en la medida de lo posible, la extrañeza y el dolor experimentados por el cónyuge.

Es bueno que el cónyuge acepte que el final de la persona a la que ha querido durante muchos años es inevitable, y que debe permitir que su vida acabe de la forma más digna posible, tal como él hubiese deseado. Son momentos en los que conviene recordar que se ha disfrutado de una larga vida en común: probablemente se han vivido dificultades, pero también tiempos felices. Todo este tiempo ha servido para construir una pareja sólida y, probablemente, para crear y sacar adelante una familia. Este recuerdo puede ser muy reconfortante. Es conveniente que el cónyuge del enfermo disponga de un tiempo propio, fuera de la vivienda, para recuperarse del esfuerzo y la dedicación. Esta es otra de las ventajas de los centros de día. También se puede solicitar un ingreso temporal del paciente en una residencia en concepto del llamado «descanso familiar». En las fases avanzadas de la enfermedad, cuando resulta complicado prestar en casa todos los cuidados que requiere el paciente, es aconsejable ingresarlo de forma definitiva en un centro geriátrico especializado, donde podrá disponer de mejores atenciones que en el domicilio habitual y de instalaciones más adecuadas.

10.6. MEDICAMENTOS

En la atención médica existe la costumbre de satisfacer la demanda asistencial con medicamentos, una práctica que conduce a que haya mucha gente mayor que toma diez o más fármacos al día, y además con una disciplina terapéutica irregular: olvidan tomar algunas dosis o toman demasiadas. El exceso de medicamentos predispone a la inestabilidad al caminar y, en el caso de los psicofármacos, puede empeorar el deterioro cognitivo. Es muy importante que los pacientes dispongan de un médico generalista que revise periódicamente los fármacos que toma el paciente, a fin de evitar interacciones entre ellos y evaluar los efectos secundarios, así como el riesgo-beneficio del tratamiento.

Todavía no existe ningún fármaco eficaz para curar las demencias degenerativas, aunque se dispone de algunos medicamentos que al parecer retrasan su evolución. Aunque su eficacia no está aceptada por todos los expertos, el paciente y su familia deben confiar en el neurólogo, que indicará el tratamiento más adecuado para cada fase de la evolución de la enfermedad. El mecanismo de acción de estos medicamentos se basa en modificar la neurotransmisión, aumentando en el cerebro los niveles de acetilcolina, que en la EA se encuentran disminuidos. Dado que el beneficio en la evolución de la enfermedad es generalmente discreto, que su coste económico es muy elevado y que, como todos los medicamentos, tienen efectos secundarios potenciales, es importante que el neurólogo, informando adecuadamente a la familia del paciente, decida en cada caso la conveniencia de prescribir la medicación conveniente.

En los últimos años se están invirtiendo muchos recursos en importantes programas de investigación, por lo que es previsible que en un futuro cercano se descubran medicamentos con una eficacia real. Gran parte de las líneas de investigación van dirigidas a eliminar, evitar la formación o impedir la agregación de la proteína beta-amiloide en el cerebro. Uno de los mecanismos utilizados es una especie de «vacuna» que inmuniza al paciente frente a la proteína. Uno de los problemas que han surgido en los estudios es el hecho de que disminuir la cantidad de amiloide no parece ser suficiente para evitar el deterioro cognitivo. Sin embargo, recientemente un ensayo clínico con un anticuerpo anti-amiloide parece haber reducido por primera vez el deterioro cognitivo. Está previsto ensayarlo en el mayor número de pacientes posible para confirmar si son ciertos los efectos beneficiosos.

En el cerebro del enfermo con Alzheimer, además del depósito de amiloide, se producen neuroinflamación y estrés oxidativo, por lo que se están investigando también fármacos que eviten o amortigüen la inflamación y la oxidación celular. En este sentido, se ha ensayado la administración de medicamentos antiinflamatorios como la aspirina, la indometacina o el ibuprofeno, pero los resultados hasta la fecha no han sido concluyentes.

Además del deterioro cognitivo, también es importante tratar otros síntomas de la enfermedad como la ansiedad, los síntomas depresivos, los trastornos de conducta (sobre todo la inquietud y la agitación), las alteraciones del sueño y los trastornos del pensamiento con ideación delirante y alucinaciones. Los trastornos de conducta del enfermo aumentan sobremanera la carga del cuidador y suelen ser uno de los aspectos que le generan más estrés.

Una posible complicación de la demencia a lo largo de su evolución son las crisis epilépticas, que pueden ser tratadas de forma satisfactoria. A veces los enfermos tienen dificultades para deglutir la medicación o simplemente se niegan a tomarla; por ello es recomendable que los medicamentos se administren en forma de gotas, en solución o en forma bucodispersable, lo que facilita las cosas tanto al enfermo como al cuidador, al tiempo que ofrece muchas más garantías de que se toma la dosis adecuada.

10.7. ASISTENCIA EN LA ETAPA FINAL

La muerte del enfermo con demencia se produce generalmente entre los cinco y los doce años después de la aparición de los primeros síntomas.

La fase final resulta dura de sobrellevar para los familiares. El paciente con demencia, si alcanza la etapa final de la enfermedad, acaba en estado vegetativo, encamado, desconectado de su entorno, sin hablar ni reconocer, sin contener los esfínteres y con incapacidad para deglutir. Tiene el rostro totalmente inexpresivo, incapaz de comunicar unos sentimientos que probablemente ya no existan. En ocasiones, esta fase final no llega porque el paciente fallece antes por una infección o una complicación cardiocirculatoria.

En las etapas finales de la demencia la familia debe tomar decisiones que no son nada fáciles, como si se debe instalar una sonda para alimentar al paciente cuando ya no puede tragar. Nuestro consejo a los familiares es que se dejen asesorar por los médicos que han seguido al paciente durante su evolución, o por el médico de urgencias en caso de que se produzca una complicación aguda y haya que valorar la posible aplicación de otras medidas.

En ocasiones el paciente, antes de perder su capacidad de decisión, ha manifestado su deseo de que no se le prolongue la vida innecesariamente o ha hecho testamento vital, lo que facilita la decisión a los familiares.

En cualquier caso, cuando el paciente está ya muy deteriorado y entra en estado vegetativo, el objetivo principal es evitarle sufrimientos y no alargarle la agonía, por lo que lo más sensato y compasivo es evitar la alimentación forzada y, en cambio, administrar los analgésicos y sedantes necesarios a fin de conseguir un final digno, sin malestar. El futuro de una persona demenciada es la muerte, nunca la recuperación de las funciones cognitivas. Por lo tanto, no es ético alargar la agonía durante días o semanas.

Como bien explica Zarranz, existe un consenso científico internacional sobre lo que procede hacer con las personas que, a causa de una demencia, llegan al estadio final de su vida sin posibilidad de retorno, encalladas en el estado vegetativo, sin consciencia, sin poder moverse, sin poder tragar alimentos o líquidos. En estas circunstancias, las sociedades científicas recomiendan la supresión del tratamiento, incluida la alimentación artificial que debe considerarse como parte del tratamiento médico. Está demostrado que la agonía de los pacientes en estado vegetativo por una demencia avanzada, a quienes se suprime la alimentación e hidratación, no es larga ni penosa. La sedación contribuye a su tranquilidad y bienestar. La parada del flujo urinario predice el fallecimiento en uno o dos días.

Hay que aceptar la muerte como el fin natural de la vida. Es obvio que resulta muy doloroso para los familiares, pero para la persona deteriorada representa una liberación. Morir dignamente es también un derecho de las personas.

De acuerdo con Armengol, «la muerte es la extinción de la memoria propia. Dejamos de vivir como animales y como humanos en el momento en el que la memoria desaparece para siempre. Morimos cuando nuestro cerebro queda lesionado de tal forma que la conservación de lo adquirido y la adquisición de nuevas memorias es imposible. Si la memoria, como parece, es la propia consciencia, nuestra existencia se extingue con ella».

Es aconsejable consultar al neurólogo si es conveniente la autopsia del paciente para estudiar su cerebro. Con el estudio patológico se obtiene el diagnóstico de certeza, que para los familiares puede ser de gran importancia en el futuro. Por otra parte permite donar el cerebro al banco de tejidos de la universidad, lo que da al paciente la oportunidad de ayudar a la ciencia y a su comunidad después de muerto. En la actualidad, los protocolos para la donación del cerebro son muy ágiles y evitan sufrimientos a la familia. Tras la donación, la ceremonia fúnebre y el entierro se realizan con toda normalidad.

INFORMACIÓN AL ENFERMO Y A LA FAMILIA

11.1. INFORMACIÓN AL PACIENTE

La información destinada a una persona que inicia el proceso de demencia es delicada. Informar a los pacientes con EA sobre su diagnóstico es duro y generalmente conlleva algunos cuestionamientos éticos. Muchos médicos somos a veces reacios a dar el diagnóstico de forma abierta al paciente, y nos inclinamos por revelarlo solo a la familia. Se suele evitar la palabra Alzheimer, por sus connotaciones negativas, y se sustituye por otros términos más indefinidos.

Sin embargo, existen varios motivos por los que se debe informar abiertamente al paciente acerca de su enfermedad, como son los principios básicos de bioética:

a) **Autonomía:** respetar la libertad, voluntad, decisiones y actos de cada persona autónoma. El paciente solo podrá tomar decisiones acerca de su vida futura si dispone de toda la información. Es posible que el diagnóstico le haga cambiar su estilo de vida, hacer testamento, solicitar asesoramiento legal, nombrar un tutor legal o gestionar su patrimonio de otra forma.

b) **Beneficencia:** hay que perseguir y promover el mayor bienestar y mejor tratamiento para el paciente, lo que contribuirá en gran medida a hacerle partícipe de su futuro y de las medidas terapéuticas. Esto implica iniciar las medidas terapéuticas de ayuda y confort cuanto antes, y si el paciente conoce bien el motivo, será más fácil su cumplimiento.

c) **No maleficencia:** evitar cualquier daño intencionado o innecesario al paciente.

d) **Justicia:** No discriminar a nadie, tampoco con motivo de su enfermedad, tratando a todos con igual consideración y respeto. Esto incluye también informar al paciente, siempre y cuando su capacidad mental le permita entender la información; en caso contrario se debe informar a la familia de forma exhaustiva.

En relación con los aspectos de autonomía y beneficencia, si el paciente ya ha perdido su capacidad de razonamiento y en consecuencia no puede decidir, quien debe tomar las decisiones es la familia y en caso necesario la ley, aplicada por la fiscalía y el juez.

Es importante no engañar al paciente, aunque sea por compasión, ya que debe poder confiar en su médico y no dudar acerca de la información que se le proporciona.

Y aún más importante es proporcionársela de la forma más adecuada, siempre de acuerdo a su personalidad. El neurólogo debe utilizar su experiencia, su capacidad empática y su sensibilidad para no dañar al paciente, siguiendo el consejo galénico *primum non nocere,* «lo primero es no hacer daño». El médico debe saber valorar cuál es la «verdad tolerable», aquella que el paciente es capaz de asumir en cada momento. No hay que olvidar que algunos pacientes no quieren conocer la verdad acerca de su condición: además del derecho a saber existe el de no querer saber. Los enfermos pueden preferir ignorar la verdad completamente o recibirla de forma sesgada. La opinión de la familia, que suele conocer bien al paciente, debe ser tenida muy en cuenta. En cualquier caso, la información se tiene que suministrar de manera pausada, gradual, a partir de preguntas y respuestas o silencios, en forma de diálogo abierto que no finaliza nunca y que se retoma en cada nueva consulta, mientras el paciente mantenga la capacidad mental necesaria. El paciente debe tener la seguridad de que no se le engaña ni se le engañará nunca. Esto es lo que más agradecen los enfermos, lo que más contribuye a apaciguar la angustia y el dolor que causa la visión de un futuro francamente difícil. Cuando el paciente está en las fases iniciales de la enfermedad, una información completa y clara le ayudará a vivir el conflicto generado por la enfermedad con más serenidad y menos angustia, le empujará a buscar estrategias o planteamientos de vida que alivien las carencias futuras, a colaborar en las técnicas de estimulación cognitiva, a expresar y dejar constancia de sus preferencias y voluntades para cuando tenga menos lucidez, o a nombrar un representante si carece de familiares con los que tenga un vínculo estrecho. En este sentido, los enfermos de Alzheimer en un estadio inicial disponen de la opción legal de escribir y firmar con testigos, o ante notario, un documento de voluntades anticipadas en el que se deja constancia acerca de cómo debe ser la futura actuación médica, además del destino del cuerpo y los órganos cuando el paciente ya no esté en condiciones de expresarse conscientemente.

Broggi resume bien la delicadeza y complejidad de la información al paciente en las fases iniciales: «Quien da la información también debe prepararse para darla. Debe preparar el cómo, el límite y también los aspectos positivos que tendrá que añadir después. Conviene investigar, si no lo sabemos, cuánto sabe el paciente y cuáles son sus temores, dejándole tiempo para poder expresarlo. Es mejor haber previsto una posibilidad así antes, sugiriéndola: ¿es de las personas que, llegado el momento, quieren saberlo todo? También es útil recordar su curiosidad o su reticencia a saber, y su interés por conocer la medicación y los resultados».

Además, la información servirá al enfermo para participar, y eventualmente beneficiarse, de algún ensayo clínico terapéutico, así como para asumir la conveniencia de las técnicas de estimulación cognitiva, o para asistir a grupos de apoyo y ayuda que contribuirán sin duda a mejorar positivamente su estado de ánimo.

11.2. INFORMACIÓN A LA FAMILIA

La información a los familiares debe ser abierta, comprensible y verídica. En las etapas iniciales de la enfermedad hay que ser cauto en el diagnóstico, pues existe un margen de error y el neurólogo puede equivocarse en el pronóstico. Es importante para el médico observar la evolución del paciente durante un tiempo, y a veces es necesario repetir alguna prueba, como el estudio neuropsicológico, para comprobar cómo evoluciona el deterioro cognitivo. A medida que el enfermo va evolucionando, el médico podrá ofrecer información más precisa. Lo primero que suelen necesitar y pedir los familiares es información acerca de la enfermedad que les permita saber cómo han de hacer frente a las dificultades del enfermo, cómo comportarse ante la pérdida de memoria o cómo reaccionar ante los trastornos de conducta.

Una cuestión frecuente planteada por las familias, en el caso del paciente que no reconoce un error o una fabulación, es si resulta más conveniente mostrarle que se equivoca o no hacer caso de su comentario. En la mayoría de ocasiones, lo mejor es no contradecirle en asuntos que no sean relevantes y, en cambio, mostrarle que se equivoca, aunque siempre con afecto y sin recriminaciones, cuando comete un error grave u olvida hacer algo importante. Hay que tener presente que el enfermo con demencia, incluso en las etapas iniciales, sufre olvidos involuntarios y alteraciones en el comportamiento causados por la enfermedad y que no puede controlar. Del mismo modo, al ofrecerle actividades atractivas para vencer su apatía se debe hacer con afecto, sin insistencia ni recriminaciones constantes. El enfermo con apatía no puede salir de la misma por voluntad propia.

La enfermedad de Alzheimer requiere por parte de la familia enormes dosis de paciencia y generosidad. A menudo, los familiares deberán cambiar algunas costumbres, perderán libertad de movimientos, deberán tomarse las cosas con más calma y tendrán que estar pendientes del enfermo día tras día. Por tanto, conviene que conozcan la importancia que tiene para el enfermo el trato afectuoso. El cariño es para el cerebro del enfermo un estímulo muy positivo , que contribuirá a hacer más lenta la progresión del deterioro cognitivo.

En ocasiones, el trastorno grave de conducta hace muy difícil la convivencia. En estos casos no hay más remedio que recurrir a medicamentos que amortigüen la sintomatología. Los neurólogos disponemos de buenos recursos farmacológicos para paliar estos síntomas, ya se trate de la agitación y la agresividad, o de los delirios y las alucinaciones.

Un aspecto que genera dudas desde la bioética es la conveniencia de realizar el estudio genético de los pacientes con Alzheimer. La EA senil, esporádica, como se ha comentado anteriormente, se asocia a determinadas mutaciones genéticas, pero no de forma constante, y las mutaciones no siempre desencadenan la enfermedad. Es por ello que no se aconseja el estudio genético en la EA senil, la forma clásica y más habitual, ya que puede contribuir a aumentar los temores de los familiares, aunque en la mayoría de los casos sean infundados.

Un caso distinto es el de la EA en pacientes jóvenes y con claros antecedentes familiares. En estos casos la familia ya suele estar en alerta, debido a la existencia de antecedentes de demencia en varias generaciones previas. Alguna mutación en concreto, como es el caso del gen de la presenilina 1, da lugar a una EA altamente hereditaria, que desencadena la enfermedad en la mayoría de sus portadores, tal como se expuso en el apartado 6.2. En estos casos sí estaría indicado el estudio genético, siempre con el consentimiento del enfermo y de la familia. De esta forma, si un hijo o hermano es portador de la mutación, podrá tomar decisiones y realizar en su vida cambios acordes con el diagnóstico antes de que aparezca la enfermedad, como por ejemplo decidir tener hijos o evitarlos.

11.3. SUGERENCIAS LEGALES

Si al inicio de los síntomas el paciente es todavía una persona laboralmente activa y el deterioro cognitivo empieza a tener repercusiones en su actividad profesional, deberá solicitar la baja o la incapacidad laboral temporal a su médico de familia de la Seguridad Social. A partir de aquí se deberán cumplir una serie de plazos y trámites para obtener la incapacidad permanente, lo que implica que el paciente verá reducida o anulada su capacidad laboral de forma presumiblemente definitiva. Por ello recibirá una prestación económica que trata de cubrir la pérdida de ingresos subsiguiente.

Si ya de entrada se produce un diagnóstico evidente de demencia, que hace prever la incapacidad laboral futura, se puede cursar la incapacidad permanente directamente al Instituto Nacional de la Seguridad Social. Dentro de este tipo de incapacidad se distinguen distintos grados. El grado máximo es el de gran invalidez, que se obtiene cuando el paciente necesita la asistencia de otra persona para las acciones de la vida cotidiana. En este caso se tiene derecho a una pensión del 150 % sobre la base reguladora, porque se considera que el 50 % estará destinado a compensar a la persona que cuida del inválido.

El reconocimiento de la discapacidad parcial también contempla reducciones en la base imponible del IRPF, prestaciones económicas y la exención de los impuestos de matriculación y circulación de los vehículos que estén al servicio del paciente.

Cuando la demencia alcanza un GDS de 5 (véase el capítulo 9), se puede solicitar la ayuda que ofrece la Ley de Dependencia. Esta ley prevé prestaciones económicas que dependen del nivel de dependencia y la capacidad económica del beneficiario, así como prestaciones sociales que van desde la teleasistencia y las ayudas en el domicilio hasta el ingreso permanente en un centro. Las solicitudes se tramitan en los departamentos autonómicos de acción social. La ley prevé tres grados de dependencia (moderada, grave y gran dependencia).

Para realizar estos trámites es aconsejable contar con la ayuda de un trabajador social del ayuntamiento o del centro de salud.

A menudo, las familias se preocupan por las garantías patrimoniales cuando el enfermo ya no es capaz de gestionar con sentido común sus finanzas y se plantean solicitar su incapacitación. Es importante tener claro que se trata de un mecanismo de protección y se debe valorar si realmente va a aportar algo positivo al enfermo. La incapacitación la pueden promover el cónyuge o pareja de hecho, los descendientes, los ascendientes y los hermanos, y la concede el juez, previo informe de la fiscalía. La incapacitación invalida a la persona para realizar contratos, administrar y disponer de sus bienes, hacer testamento o contraer matrimonio.

A la familia le suele producir aflicción iniciar un procedimiento de incapacitación en el juzgado. Sin embargo, se trata de una acción lícita, pues puede darse el caso de que los enfermos sean engañados por personas desaprensivas y pierdan sus bienes o sus ahorros. En ocasiones, antes de plantearse la incapacitación, se puede hablar con el banco donde están los ahorros a fin de encontrar una solución digna y eficaz, evitando que el paciente pueda tomar decisiones financieras por sí solo. Lo más simple es que las órdenes y cheques deban llevar dos o tres firmas, la del interesado más otras de los familiares responsables. En todo caso, el marco legal español ofrece varias figuras de protección patrimonial, con sistemas de control y garantías, que sin llegar a la incapacitación permiten tener la seguridad de que no quedarán afectados los ahorros del paciente. La Ley 41/2003 de protección patrimonial de las personas con discapacidad permite la designación de unos bienes precisos (dinero, inmuebles, derechos, valores, etc.) para que con ellos, y con los beneficios que se deriven de su administración, se haga frente a las necesidades vitales ordinarias y extraordinarias de la persona con discapacidad. Es aconsejable dejarse asesorar por un abogado experto. Las asociaciones de familiares de Alzheimer ofrecen información al respecto (en las últimas páginas se incluye una relación de las mismas).

12

CONSEJOS PARA LA MEMORIA

Los consejos que se detallan a continuación se han publicado en el libro *El cerebro del rey* (véase la bibliografía). Son de permanente actualidad, por lo que, con alguna corrección, los volvemos a enunciar. Pueden resultar reiterativos con respecto al contenido de otros capítulos, pero creemos que será útil para el lector encontrarlos en forma de compendio. Se trata de consejos que pueden ser de gran utilidad para las personas jubiladas que, al abandonar la actividad mental, entran en una etapa de riesgo de declive cognitivo. Hay que decir que este riesgo es especialmente peligroso para los varones, ya que las mujeres siguen ocupadas con diversas tareas y responsabilidades después de jubilarse, sea por la familia o la logística doméstica. Este aspecto, por suerte, está cambiando en las últimas décadas, y los hombres, cada vez más, colaboran en las tareas domésticas y en el cuidado de los nietos.

Repasemos todos aquellos aspectos que van a contribuir a cuidar nuestro cerebro, el mismo cerebro que la especie humana posee desde hace doscientos mil años, que nos ha legado la evolución y que ha demostrado su capacidad para adaptarse a los distintos momentos históricos.

Y no está de más recordar que las formas de vida y los hábitos actuales son muy diferentes a los de nuestros antepasados.

1. Hay que cuidar los *trastornos crónicos* que perjudican al cerebro, en especial por la alteración de las arterias y de los capilares que llevan al cerebro la sangre y los nutrientes (en especial el oxígeno), a fin de disponer del mejor metabolismo neuronal. Los trastornos más frecuentes son: hipertensión arterial, diabetes, aumento del colesterol y exceso de ácido úrico. La obesidad es perjudicial porque se suele asociar a sedentarismo, aumento del colesterol, diabetes y problemas respiratorios.

2. El sedentarismo origina alteraciones circulatorias que dañan el cerebro, por lo que es recomendable hacer *ejercicio físico moderado*, como caminar o nadar. No hay que entrenar como un atleta olímpico: podría ser peligroso y provocar un ataque al corazón, pero es conveniente pasear una o dos horas al día. La artrosis puede ser un inconveniente, por lo que es recomendable comenzar con ejercicios de poco impacto articular: la gimnasia dentro del agua o la natación son una buena alternativa. Es importante prestar atención a los pies: cuando duelen no se anda. Es recomendable usar un calzado cómodo y consultar periódicamente al podólogo.

3. *Atención a los tóxicos:* hay que evitar el tabaco y las bebidas alcohólicas destiladas (coñac, whisky, licores...). Puede consumirse una copa de vino de calidad en las comidas. Atención también a los psicofármacos: además de tranquilizar, pueden disminuir la memoria y la atención, a la par que producir fatiga a la mañana siguiente. Además, en las personas mayores pueden favorecer la incontinencia urinaria durante el sueño, con la consecuente incomodidad personal y familiar.

4. Es importante mantener *una nutrición y una hidratación correctas.* Son aconsejables las comidas ligeras, especialmente a base de vegetales, tanto crudos como cocinados. Comer pescado y poca carne. Evitar las comidas precocinadas y las conservas. Los ancianos se olvidan a menudo de beber agua, lo que provoca deshidratación, especialmente en verano, y perjudica el funcionamiento cerebral. Hay que beber unos dos litros de líquido por día, sobre todo cuando hace calor. Para evitar la necesidad de orinar durante la noche, es aconsejable dejar de beber hacia las siete de la tarde.

5. Hay que *dormir bien,* entre seis y ocho horas por la noche. Se pueden complementar con una siesta al mediodía. Se debe dormir de noche, no de día. Es bueno acostarse y levantarse temprano, no de madrugada. Durante el día hay que mantenerse activo e interesado por las cosas del entorno. De esta forma, por la noche se descansa mejor.

6. *Ser ordenado.* Se debe instaurar una rutina eficiente, con horarios estables. Cada cosa tiene que estar en su sitio. No hay que malgastar memoria para recordar tonterías: dónde están las llaves o el mando del televisor, dónde se ha dejado el cambio de la compra... Si cada cosa tiene su sitio reconocido, nos ahorraremos mucho esfuerzo. Solo hace falta ser ordenado. La capacidad de aprendizaje y de memoria se ha de reservar para lo que es importante, lo que nos estimula para vivir; no para lo superfluo, que se puede resolver con orden.

7. *Papel y lápiz.* Hay que anotar lo que debemos recordar: compromisos (agenda), lista de la compra, cumpleaños... Hay que ahorrar el esfuerzo innecesario de memorización y centrar la memoria en lo más trascendente. Conviene programar lo que no es habitual, planificando el tiempo de cada día, de forma tranquila pero plena. Es recomendable leer y escribir. Se puede recordar y escribir lo que ha sucedido a lo largo de la vida, aunque sea sin orden cronológico, a partir de lo que aparece en la memoria. E incluso es bueno mezclar los recuerdos con los pensamientos del presente que surgen al evocar el pasado. Escribir los recuerdos de la vida es una buena ayuda para mantener la autoestima y dar sentido a la existencia durante la vejez.

8. *Concentrar la atención,* meterse de lleno en lo que se hace sin pensar en otra cosa. Hay que estar atento a lo que se hace en cada momento y quitarse de encima las

preocupaciones y problemas que puedan disminuir la atención. Así se evitarán distracciones que harán que no se recuerde bien lo que se ha dicho o el contenido de una conversación. Olvidar de qué se ha charlado hace poco provoca malestar e inseguridad.

9. *Evitar la ansiedad y el atolondramiento,* cosa no siempre fácil, en especial para aquellas personas que han sufrido angustia toda la vida. Para comenzar, es conveniente que los familiares eviten conversaciones acerca de temas que provoquen ansiedad al paciente, como problemas económicos o conflictos familiares. Pueden ayudar las técnicas de relajación, o ejercicios como el yoga o el tai chi. Es bueno contar con familiares y amigos con quienes comentar lo que nos preocupa. Algunas veces habrá que consultar al médico para pedir ayuda.

10. *La estimulación cognitiva* es el conjunto de métodos y técnicas que tienen como objetivo la estimulación de las conexiones neuronales, facilitando el procesamiento cerebral de la información, incluso en edades avanzadas, mediante la creación de circuitos cerebrales que sustituyan a los que desaparecen con el envejecimiento. Existen técnicas que requieren la dirección y el apoyo de profesionales expertos, pero también las hay sencillas, que cualquiera puede aplicar. Por ejemplo, es recomendable mantener el interés y la ilusión por los proyectos vitales. Es beneficioso interesarse y estar disponible para la familia o los nietos, mantener el interés

activo por la lectura, la música y el cine, aprender algún idioma, seguir las noticias económicas o políticas, los espectáculos deportivos o practicar juegos de mesa con los amigos. La actividad social es un gran estímulo para el cerebro. Suelen ser más ilusionantes los proyectos compartidos con otras personas. Por tanto, es recomendable asistir a centros de reunión o a actividades de voluntariado y mantener la conexión emocional con el mundo real.

BIBLIOGRAFÍA

ACARÍN, N., ACARÍN, L., *El cerebro del rey: vida, sexo, conducta, envejecimiento y muerte de los humanos*, Barcelona, RBA, 2001 (última edición revisada en 2015).

ACARÍN, N., *Alzheimer, manual de instrucciones*, Barcelona, RBA, 2010.

ACARÍN, N., «El oficio de médico», en Bilbeny, N. y J. Guardiola, (eds.), *Humanidades e investigación científica*, Barcelona, Ediciones de la Universidad de Barcelona, 2015.

AHLSKOG, J. E., GEDA, Y. E., GRAFF-RADFORD, N. R., PETERSEN, R. C., «Physical exercise as a preventive or disease-modifying treatment of dementia and brain aging», *Mayo Clinic Proceedings,* 86, n.° 9, septiembre de 2011.

ALLADI, S., XUEREB, J., T. BAK *et al.*, «Focal cortical presentations of Alzheimer's disease», *Brain*, 130 (Pt 10), octubre de 2007.

ANDEL, R., CROWE, M., N. L. PEDERSEN *et al.*, «Physical Exercise at Midlife and Risk of Dementia Three Decades Later: A Population-Based Study of Swedish Twins», *Journal of Gerontology: medical sciences,* vol. 63A, n.° 1, 2008.

ARMENGOL, R., *Felicidad y dolor: una mirada ética*, Barcelona, Ariel, 2010.

BAKER, D. J., CHILDS, B. G., M. DURIK *et al.*,«Naturally occurring p16(Ink4a)-positive cells shorten healthy lifespan», *Nature*, 530, n.º 7589, febrero de 2016.

BAVISHI, A., SLADE, M. D., LEVY, B. R., «A chapter a day: Association of book Reading with longevity», *Social Science & Medicine*, 164, 2016.

BRIER, M. R., GORDON, B., FRIEDRICHSEN, K. *et al.* «Tau and Aβ imaging, CSF measures, and cognition in Alzheimer's disease», *Science Translational Medicine*, vol. 8, n.º 338, 11 mayo de 2016.

BROGGI, M. A., *Por una muerte apropiada,* Barcelona, Anagrama, 2013.

CASTELLANOS, F., PINEDO, F., CID GALA, M., DUQUE SAN JUAN, P., *Abordaje integral de la demencia,* Información terapéutica del Sistema Nacional de Salud, ISSN, vol. 35, n.º 2, 2011.

CRESPO-SANTIAGO, D., «Cambios cerebrales en el envejecimiento normal y patológico», *Revista Neuropsicología, Neuropsiquiatría y Neurociencias*, vol. 12, n.º 1, abril de 2012.

CREUTZFELDT-JAKOB DISEASE FOUNDATION INC., *Creutzfeldt-Jakob disease and other Prion Diseases*, 4ª edición, junio de 2009, www.cjdfoundation.org.

CRUZ DE SOUZA, L., BERTOUX, M., A. FUNKIEWIEZ *et al.*, «Frontal presentation of Alzheimer's disease», *Dementia & Neuropsychologia*, 7, n.º 1, marzo de 2013.

DANNER, D. D., SNOWDON, D. A., FRIESEN, W. V., «Positive emotions in Early Life and Longevity: Findings from the Nun Study», *Journal of Personality and Social Psychology*, vol. 80, n.º 5, 2001.

DELAY, J. y BRION, S., *Les démences tardives,* Masson & Cie, París, 1962.

ECKERT, M. J., ABRAHAM, W. C., «Effects of environmental enrichment exposure on synaptic transmission and plasticity in the hippocampus», *Current Topics in Behavioral Neurosciences*, 15, 2013.

EQUIPO DE INMUNOPREVENIBLES. SUBDIRECCIÓN DE PREVENCIÓN. VIGILANCIA Y CONTROL EN SALUD PÚBLICA. INSTITUTO NACIONAL DE SALUD, *Protocolo de vigilancia en salud pública. Creutzfeldt-Jakob*, junio de 2014.

FJELL, A. M., MCEVOY, L., HOLLAND, D., DALE, A. M., WALHOVD, K. B., «What is normal in normal aging? Effects of aging, amyloid and Alzheimer's disease on the cerebral cortex and the hippocampus», *Alzheimer's Disease Neuroimaging Initiative*, 117, junio de 2014.

GLISKY, E. L., «Changes in Cognitive Function in Human Aging», cap. 1 de *Brain Aging: Models, Methods, and Mechanisms*, Riddle, D. R. (ed.), CRC Press/Taylor & Francis, Boca Raton (Florida), 2007.

HACHINSKI, V. C., LASSEN, N. A., MARSHALL, J., «Multi-infarct dementia. A cause of mental deterioration in the elderly», *The Lancet*, 2, n.º 7874, julio de 1974.

JOHANSSON, B. B., BELICHENKO, P. V., «Neuronal plasticity and dendritic spines: effect of environmental enrichment on intact and postischemic rat brain», *Journal of Cerebral Blood Flow & Metabolism*, 22, n.º 1, enero de 2002.

JÖNSSON, L., WIMO, A., «The Cost of Dementia in Europe. A Review of the Evidence, and Methodological Considerations», *PharmacoEconomics*, 27, n.º 5, 2009.

LYNCH, M. A., «Long-Term Potentiation and Memory», *Physiological Reviews*, 84, n.º 1, enero de 2004.

MALAGELADA, A., *Alzheimer. ¿Un origen infeccioso? Alzheimer, microbios, flora intestinal*, https://www.amazon.es/

Alzheimer-origen-infeccioso-microbios-intestinal-ebook/ dp/B01JDKLAHE.

MONTAÑOLA, A., DE RETANA S.F., A. LÓPEZ-RUEDA *et al.*, «ApoA1, ApoJ and ApoE Plasma Levels and Genotype Frequencies in Cerebral Amyloid Angiopathy», *Neuromolecular Medicine*, 18, n.º 1, marzo de 2016.

OLESEN, J., GUSTAVSSON, A., M. SVENSSON *el al.*, «The economic cost of brain disorders in Europe», CDBE2010 study group, European Brain Council, *European Journal of Neurology*, 19, n.º 1, enero de 2012.

PARÉS-BADELL, O., BARBAGLIA, G., P. JERINIC *et al.*, «Cost of disorders of the brain in Spain» *PLOS One*, 9, n.º 8, e105471, agosto de 2014.

PRIETO JURCZYNSKA, C., EIMIL ORTIZ, M., LÓPEZ DE SILANES DE MIGUEL, C. Y LLANERO LUQUE, M. *Impacto social de la enfermedad de Alzheimer y otras demencias 2011*, Fundación Española de Enfermedades Neurológicas. http:// www.fundaciondelcerebro.es/docs/imp_social_alzheimer. pdf

PRINCE, M., ALBANESE, E., GUERCHET, M., PRINA, M., *World Alzheimer Report 2014. Dementia and Risk Reduction. An Analysis of protective and modifiable factors*, Alzheimer's Disease International (ADI), Londres, septiembre de 2014.

PRINCE, M., WIMO, A., GUERCHET, M., ALI, G. C., WU, Y. T., PRINA, M., *World Alzheimer Report 2015: The Global Impact of Dementia*, Alzheimer's Disease International (ADI), Londres, agosto de 2015.

QUERALT, R., EZQUERRA, M., A. ACARÍN, N. LLEÓ *et al.*, «A novel mutation (V89L) in the presenilin 1 gene in a family with early onset Alzheimer's disease and marked behavioural disturbances», *Journal of Neurology, Neurosurgery, and Psychiatry*, 72, doi: 10.1136/jnnp.72.2.266, 2002.

RODRIGUE, K. M., KENNEDY, K. M., PARK, D. C., «Beta-Amyloid Deposition and the Aging Brain», *Neuropsychology Review*. 19, n.º 4, diciembre de 2009.

SELKOE, D. J., HARDY, J., «The amyloid hypothesis of Alzheimer's disease at 25 years», *EMBO Molecular Medicine*, publicado online, marzo de, 2016

SEVIGNY, J., CHIAO, P., BUSSIÈRE, T., P. H., WEINREB *et al.*, «The antibody aducanumab reduces Aβ plaques in Alzheimer's disease», *Nature*, 537, n.º 7618, agosto de 2016.

STERN, Y., «Cognitive Reserve and Alzheimer Disease», *Alzheimer Disease and Associated Disorders*, 20, 2006

SUZANNE, L., TYAS, D. A., M. F. SNOWDON *et al.*, «Healthy ageing in the Nun Study: definition and neuropathologic correlates», *Age Ageing*, 36, n.º 6, noviembre de 2007.

UNIVERSIDAD COMPLUTENSE DE MADRID y NEUROALIANZA, *Estudio sobre las enfermedades neurodegenerativas en España y su impacto económico y social*, Madrid, febrero de 2016, http://neuroalianza.org/wp-content/uploads/Informe-NeuroAlianza-Completo-v-5-optimizado.pdf

ZARRANZ, J. J., *Neurología*, 5ª ed., Madrid, Elsevier, 2013.

ÍNDICE ANALÍTICO Y DE AUTORES

ASOCIACIONES DE FAMILIARES DE ALZHEIMER

Las asociaciones de familiares de Alzheimer (AFA) son entidades sin ánimo de lucro que tienen como objetivo la ayuda y asesoría a los enfermos y a sus familias. Los interesados pueden dirigirse a ellas para informarse de los avances en tratamientos, sobre los centros especializados en la atención a las demencias, asesoría jurídica, gestión de las ayudas de las administraciones y de otras instituciones. Algunas entidades incluso tienen programas específicos de ayuda a personas con demencia que carecen de familia. Además, las AFA ofrecen reuniones y cursos de apoyo y de información para familiares y cuidadores.

En España hay una o más asociaciones por provincia. A continuación, y solo a título orientativo, se facilita la página web de algunas entidades:

- Confederación Española de Asociaciones de Familiares de Alzheimer (CEAFA): http://www.ceafa. es/es/

- Fundación Pasqual Maragall: https://fpmaragall. org/
- Fundación Alzheimer España: http://www.alzfae. org/
- Alzheimer Catalunya: http://www.alzheimercatalunya.org/
- Asociación de Familiares de Enfermos de Alzheimer de Madrid: www.afeammadrid.org
- Associació de Familiars de Malalts d'Alzheimer de Barcelona: http://www.afab-bcn.org/
- Alzheimer's Association: http://www.alz.org/ http://www.alz.org/espanol/overview-espanol.asp